Chrétien de Troyes
Yvain, le Chevalier au lion

Texte intégral,
adapté par Anne-Marie Cadot-Colin

LE DOSSIER
Roman de chevalerie, roman courtois

L'ENQUÊTE
Qui sont les chevaliers ?

Notes et dossier
Éric Sala
Certifié de lettres modernes

Collection dirigée par
Bertrand Louët

Sommaire

OUVERTURE

ISBN : 978-2-401-04498-2

* Les mots suivis d'un * sont expliqués dans le lexique p. 181.

Qui sont les personnages ?

Les personnages principaux

YVAIN

L'un des chevaliers les plus prestigieux de la cour du roi Arthur, il s'illustre dans des combats héroïques et rassemble toutes les qualités du preux chevalier.

LE ROI ARTHUR

Roi légendaire de Bretagne, il réunit à sa cour les chevaliers les plus extraordinaires autour de la Table ronde. Son épouse est la reine Guenièvre.

Les personnages secondaires

LES FIGURES DU MAL

Surnommé le géant de la Montagne, **Harpin** est extrêmement fort et violent. Il persécute le beau-frère d'Yvain dont il veut épouser la fille et n'accepte de le laisser en paix que s'il est vaincu en combat singulier. Les **deux fils du nétun** sont des créatures malfaisantes et brutales qui empêchent la libération des captives du château de Pesme Aventure.

LES AUTRES CHEVALIERS DE LA TABLE RONDE

Meilleur ami d'Yvain, **Gauvain** est aussi un chevalier renommé de la cour d'Arthur. Le **sénéchal Keu** est responsable de l'organisation de la vie de cour et est réputé pour ses remarques désagréables. Cousin d'Yvain, **Calogrenant** provoque le départ d'Yvain à la recherche du gardien de la fontaine.

LAUDINE ET LUNETTE

Épouse du gardien de la fontaine et dame du château, Laudine épouse Yvain qui a tué son mari en combat singulier. Lunette est la suivante de Laudine, elle vient en aide à Yvain par reconnaissance et lui sauvera la vie.

LES FEMMES EN DÉTRESSE

Harcelée par le comte Alier, la **dame de Noroison** est sauvée par Yvain. Les **demoiselles de Noire-Épine** sont en désaccord au sujet de l'héritage laissé par leur père : le jugement de Dieu et un combat entre deux chevaliers régleront leur conflit. Les **captives du château de Pesme Aventure** sont forcées de travailler jusqu'à l'épuisement : elles seront délivrées par un homme capable de vaincre les deux fils du nétun.

LE LION

Animal merveilleux, il fait preuve de nobles qualités. Il est fidèle à Yvain qui lui a sauvé la vie.

Quelle est l'histoire ?

Les circonstances

L'histoire débute à la cour du roi Arthur, dans la ville de Carduel, où de nombreuses dames et de nombreux chevaliers sont réunis à l'occasion des fêtes de la Pentecôte. L'un d'eux, Calogrenant, raconte une mésaventure qui lui est arrivée. À l'issue de son récit, son cousin Yvain décide de quitter la cour pour le venger. Il est alors entraîné dans une série d'aventures plus étonnantes les unes que les autres.

L'action

1. À la cour d'Arthur, Calogrenant raconte sa défaite face à un chevalier aux abords d'une fontaine magique. Yvain part secrètement le venger.

2. Après avoir rencontré bien des embûch[es] et s'être fait indiquer le chemin à suivre par le gardien des taureaux, Yvain affronte le gardien de la fontaine et le tue en comba[t] singulier. Il épouse alors Laudine, sa veuve, et devient lui-même gardien de la fontaine.

Le but

Chrétien de Troyes met en scène un héros aux qualités physiques et morales extraordinaires. Il exalte, à travers lui, les valeurs de la chevalerie et de l'amour courtois*. S'inspirant d'histoires anciennes issues de la tradition celte, il crée une œuvre de fiction pure où s'exprime l'idéal d'une société en pleine mutation.

Chevalier recevant l'écharpe de sa dame et partant pour le tournoi, extrait du *Roman de la Poire*, vers 1275.

3. Yvain part avec son ami Gauvain pour s'illustrer dans des tournois. Mais il n'a pas tenu sa promesse envers son épouse qui le rejette. Yvain sombre dans la folie.

4. Un jour, dans la forêt, Yvain sauve un lion attaqué par un serpent. L'animal reconnaissant devient alors son fidèle compagnon, ce qui vaut à Yvain le surnom de « Chevalier au lion ». Il accomplit de nombreux exploits pour reconquérir Laudine.

Qui est l'auteur ?

Chrétien de Troyes (XIIe siècle)

• UN INCONNU CÉLÈBRE

Nous savons peu de choses sur Chrétien de Troyes, mais son nom laisse supposer qu'il était Champenois. Il naît entre 1130 et 1135 et meurt entre 1183 et 1190. C'est parce qu'il se nomme lui-même dans les prologues et les épilogues de ses œuvres qu'on peut lui attribuer nombre de romans écrits entre 1170 et 1190, parmi lesquels *Lancelot ou le Chevalier de la charrette*, *Yvain ou le Chevalier au lion*, et *Perceval ou le Conte du Graal* qui est resté inachevé.

• AU SERVICE DES GRANDS

Chrétien de Troyes n'est pas un conteur ambulant mais un clerc*, c'est-à-dire un personnage instruit qui sait lire et écrire le latin. Il est d'abord au service de la comtesse Marie de Champagne, fille du roi de France Louis VII et d'Aliénor d'Aquitaine, puis à celui du comte de Flandres.

• L'INVENTEUR DU ROMAN

Chrétien de Troyes est l'un des inventeurs du roman* et le créateur du roman arthurien, en empruntant « la matière de Bretagne* ».
De son vivant, son œuvre remporte un succès important : elle est imitée, poursuivie ou traduite dans l'Europe entière.
À partir de l'an mille, grâce aux échanges commerciaux et culturels, les livres « voyagent » : ainsi, *Le Conte du Graal* est sans doute ce qu'on peut appeler le premier « best-seller » de l'histoire de la littérature.

Vers 1175
Chrétien de Troyes compose *Yvain*

La naissance du roman

En 1155, le poète normand Wace* écrit *Le Roman de Brut* qui raconte la migration de Brutus, arrière-petit-fils d'Énée*, du Latium vers la Grande-Bretagne. L'ouvrage prend le nom de « roman » parce qu'il est écrit en langue vulgaire romane et non en latin. Le genre ainsi créé, destiné à être lu et non chanté, va progressivement s'imposer face aux chansons de geste des troubadours*.

Chrétien de Troyes entre en scène

Vingt ans plus tard, à la cour de Marie de Champagne, fille du roi de France Louis VII et mécène, Chrétien de Troyes s'empare de cette « matière de Bretagne », qui évoquait l'histoire des souverains de la Grande-Bretagne, et l'adapte à son public. Entre 1170 et 1190, il compose cinq romans, dont *Yvain, le Chevalier au lion*.

L'inventeur du roman courtois

Dans ses romans, Chrétien décide de mettre au premier plan les chevaliers : Lancelot, Yvain, Perceval sont les véritables héros du récit, le roi Arthur et la reine Guenièvre étant relégués au rang de personnages secondaires. Chrétien innove également en faisant de l'amour sous sa forme courtoise un des moteurs de l'histoire. Ainsi, les héros sont souvent confrontés à un choix difficile entre leur amour et leur devoir de chevalier.

Un succès durable

Les romans de Chrétien de Troyes séduisent la cour de Marie de Champagne et connaissent un succès retentissant à travers toute l'Europe. Après sa mort, ils sont poursuivis par des continuateurs, et traduits ou imités à l'étranger. Et plus de 800 ans plus tard, on les lit encore.

Un chevalier est coiffé d'un casque par sa dame, enluminure extraite du *codex Manesse*, manuscrit de poésie lyrique allemand enluminé, 1310-1340. Bibliothèque de l'université d'Heidelberg.

Que se passe-t-il à l'époque ?

Sur le plan politique

UN ROYAUME EN CONSTRUCTION

Louis VII et Philippe Auguste agrandissent le domaine royal et créent une administration permettant de le contrôler.
Philippe Auguste fait de Paris sa capitale et fait bâtir les châteaux forts.

LE CIMENT RELIGIEUX

La religion chrétienne est un élément unificateur de l'Occident : on construit de majestueuses cathédrales et on organise des croisades vers la Terre sainte.

LE SYSTÈME FÉODAL

Au XIIe siècle, le système féodal se structure de façon pyramidale : les vassaux* à la tête de fiefs* d'importance moyenne se lient à un seigneur plus puissant, le suzerain*, qui lui-même est vassal du roi.

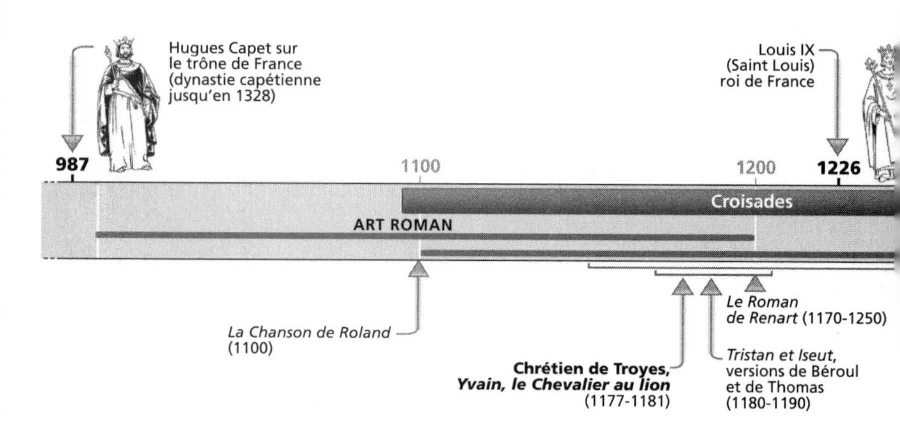

Dans le domaine des lettres

● UNE NOUVELLE LANGUE

Progressivement, après la chute de l'Empire romain (476), le latin va évoluer pour donner de nouvelles langues en Europe : les langues romanes. C'est ainsi que naît le français, notamment sous l'influence des populations germaniques venues s'installer dans le pays.

● UNE NOUVELLE LITTÉRATURE

Au XIe siècle, les œuvres littéraires sont les chansons de geste*.
Le XIIe siècle voit apparaître le roman, œuvre écrite en langue romane (issue du latin), qui vante les exploits des chevaliers et l'amour courtois.

● UNE LITTÉRATURE ORALE

Les textes sont transmis oralement : les conteurs itinérants racontent les histoires écrites par des poètes (les troubadours*) et des clercs*.
Les manuscrits sont recopiés par des moines.

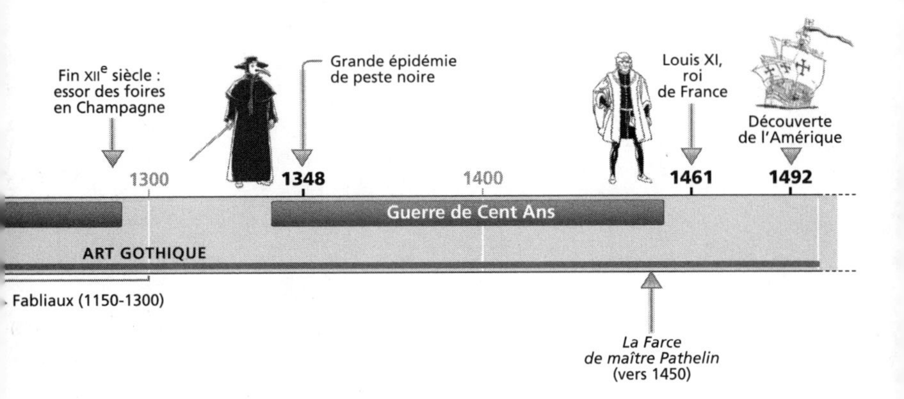

LE TEXTE

Yvain, le Chevalier au lion

Yvain secourant Lunette, enluminure extraite du manuscrit *Yvain ou le Chevalier au lion*, XIVe siècle. Bibliothèque nationale, Paris.

Prologue

Ma dame, la comtesse de Champagne, veut que j'entreprenne de faire un nouveau roman. Elle m'a demandé, à moi Chrétien de Troyes ➲ d'écrire un beau récit d'aventure et d'amour, qui puisse plaire aux dames et aux seigneurs de sa cour. Je mettrai
5 donc tout mon art, ma sagesse et ma peine dans cet ouvrage, pour satisfaire cette noble dame, qui brille parmi les autres femmes, comme le diamant parmi les perles.

L'histoire que j'ai choisie ne se passe point aujourd'hui. De nos jours, en effet, personne ne sait plus ce que c'est que d'aimer :
10 l'amour est un sujet de plaisanterie. Au temps du roi Arthur, le chevalier qui avait donné son cœur à une dame ne le reprenait jamais, et cet amour courtois ➲ durait toute sa vie.

Arthur, le noble roi de Bretagne, était si preux et courtois[1] qu'il avait rassemblé à sa cour les meilleurs chevaliers. Ils par-
15 couraient le monde en quête d'aventure et, aux grandes fêtes,

1. **Preux** : courageux, vaillant au combat (le mot appartient à la langue de la chevalerie) ; **courtois** : raffiné, aimable, respectueux des autres et des femmes en particulier.

➲ **Chrétien de Troyes rappelle que sa protectrice, la comtesse Marie de Champagne, lui a demandé d'écrire un nouveau roman. Il s'adresse directement aux lecteurs ou aux auditeurs qui entendront conter l'histoire. Nous sommes entre 1177 et 1181.**

➲ **Dans les romans du Moyen Âge, la courtoisie désigne un ensemble de valeurs (sens de l'honneur, importance du serment, noblesse des sentiments, générosité, politesse du langage et des manières). Très codifié, l'amour courtois transpose dans le domaine de l'amour les idées de soumission, de mérite et de générosité sur lesquelles repose la chevalerie. Pour mériter sa dame, le chevalier doit se soumettre entièrement à elle : la dame est suzeraine, le chevalier vassal.**

ils se retrouvaient avec le roi autour de la Table ronde ➲. Là, chacun racontait ce qu'il lui était arrivé : parfois des combats terribles, quand il fallait affronter des adversaires redoutables ou des monstres effrayants, parfois des histoires d'amour. Les dames et les demoiselles de la cour d'Arthur aimaient beaucoup ces récits, et chaque chevalier tentait, par ses brillants exploits, de conquérir le cœur de la dame dont il était amoureux.

Je vais donc vous raconter l'histoire d'un chevalier de la Table ronde, Yvain ; vous apprendrez comment et dans quelles aventures il gagna le surnom de Chevalier au lion. Nobles seigneurs et charmantes dames, cette histoire vaut la peine d'être écoutée. Ouvrez donc bien grand vos oreilles et vos cœurs ! L'oreille ne suffit pas, car la parole y arrive comme le vent qui vole : elle ne peut y demeurer. Si le cœur n'est pas ouvert pour la saisir et s'en emparer, elle s'envolera, et ce sera grand dommage, car mon histoire est pleine d'enseignement. Elle vous apprendra beaucoup sur l'amour, comment on le gagne et comment on le perd, si l'on n'y prend point garde.

➲ Dans les romans arthuriens, qui racontent les aventures des chevaliers du roi Arthur, celui-ci réunit une fois l'an les meilleurs d'entre eux autour d'une table ronde où l'égalité est parfaite : aucun de ceux qui y siègent, pas même le roi, n'a plus d'importance que les autres.

Apparition du Graal aux chevaliers de la Table ronde, extrait de *La Quête du Graal*. Enluminure du XVe siècle. BNF, Paris.

- Qu'est-ce qui, dans l'attitude des chevaliers, montre que l'objet qui apparaît au centre de la table, le Graal, est sacré ?
- À part l'égalité entre les chevaliers, que peut, à ton avis, symboliser la forme ronde de la table ?

LECTURE ACTIVE 1

→ Voir aussi
étape 1, p. 144.

Le prologue • « Je vais donc vous raconter… »

As-tu bien lu ?

1 Vrai ou faux ? Coche la bonne réponse.

	Vrai	Faux
a. Le prologue correspond au début de l'histoire.	☐	☐
b. L'auteur y prend la parole.	☐	☐
c. Il s'adresse à ceux qui entendront conter l'histoire au sein des cours princières.	☐	☐
d. Il présente le cadre et le sujet de son roman.	☐	☐

2 Qui a demandé à Chrétien de Troyes d'écrire ce roman ?

3 Où le roman se déroule-t-il ? Qui est le héros de l'histoire ?

Atelier

Faire dialoguer l'auteur et Marie de Champagne

► ***Objectif.*** Comprendre la situation de l'écrivain de cour en s'appuyant sur le prologue de l'œuvre.

► ***Préparation.*** Relire le premier paragraphe du prologue. Puis, par petits groupes, écrire une trame de dialogue reproduisant le moment où la comtesse de Champagne demande à Chrétien de Troyes d'écrire le roman *Yvain*. Faire clairement apparaître les souhaits de la comtesse par rapport à l'histoire et à son désir de divertir la cour. Faire réagir Chrétien de Troyes aux demandes de Marie de Champagne.

► ***Réalisation.*** Chaque groupe joue son dialogue en improvisant à partir de la trame qu'il a définie.

► ***Réfléchir ensemble.*** Chaque groupe a-t-il bien rendu compte des vœux de Marie de Champagne tels qu'ils sont rapportés dans le prologue ? Quels détails vraisemblables auraient pu être ajoutés ? Qu'est-ce que le dialogue dit du rapport entre l'écrivain et son mécène ?

1
À la cour du roi Arthur

Cette année-là, le roi Arthur avait réuni sa cour à Carduel, au pays de Galles[1], pour la fête de Pentecôte. Les réjouissances[2] furent magnifiques, comme il convenait à un illustre roi : il y avait là de nombreux chevaliers, hardis[3] et redoutables, ainsi
5 que des dames et des demoiselles ravissantes et nobles.

Après le festin, à travers les salles, chevaliers et dames formèrent de petits groupes pour bavarder et entendre les histoires que les uns ou les autres avaient à raconter. Mais à leur surprise à tous, le roi se retira pour se reposer, et la reine le suivit dans
10 ses appartements. Dehors, devant la porte de la chambre, se tenait un petit groupe avec Keu, le sénéchal[4], et monseigneur Gauvain. Il y avait là aussi Sagremor et Dodinel, ainsi que monseigneur Yvain et son cousin Calogrenant. Ce Calogrenant, un chevalier très aimable, avait alors commencé le récit d'une aven-
15 ture qui, disait-il, avait tourné non à son honneur, mais à sa honte. C'est à ce moment-là que la reine sortit de la chambre et vint se joindre silencieusement au petit groupe qui écoutait.

1. **Pays de Galles** : région située au sud-ouest de l'Angleterre qui fait aujourd'hui partie du Royaume-Uni.
2. **Réjouissances** : banquets et cérémonies organisés pour cette fête religieuse.
3. **Hardis** : courageux.
4. **Sénéchal** : seigneur important chargé de l'organisation de la vie à la cour, des festivités et des campagnes militaires.

Située cinquante jours après Pâques dans le calendrier chrétien, la fête de la Pentecôte se déroule au mois de mai ou au mois de juin.

Personne ne la vit, sauf Calogrenant qui, sautant sur ses pieds, se leva vivement à son approche. Le sénéchal Keu, qui ne
20 perdait jamais une occasion de railler les uns et les autres[1] par ses propos venimeux[2], l'interpella :

– Par Dieu, Calogrenant, comme vous voilà agile, et prompt à sauter en l'air pour honorer ma dame ! Aucun doute, vous êtes plus courtois que nous tous ! Vous le croyez du moins, j'en
25 suis certain, tellement vous manquez de bon sens. Quant à la reine, elle va penser que c'est par paresse ou par négligence que nous ne nous sommes pas levés, et elle vous accordera le prix de courtoisie.

– En vérité, Keu, intervint la reine, vous auriez risqué d'écla-
30 ter si vous n'aviez pas pu vous vider du venin dont vous êtes plein ! Vous êtes odieux, de chercher toujours ainsi querelle à vos compagnons.

– Dame, rétorqua le sénéchal, je n'ai rien dit qu'on puisse me reprocher, prolonger la dispute serait inutile. Mais si nous ne
35 gagnons rien à votre compagnie, veillez du moins à ce que nous n'y perdions point. Faites-lui continuer le récit qu'il avait si bien commencé.

Calogrenant intervint alors :

– Dame, je ne m'inquiète point de cette querelle. On ne peut
40 empêcher le fumier de puer, ni les taons[3] de piquer... ni monseigneur Keu de dire des injures. Il en a dit mille fois à des chevaliers plus illustres que moi, et je me soucie peu de l'affaire. Mais, de grâce, ne m'imposez pas de raconter la suite de cette aventure, car il m'est pénible d'en parler.

1. **Railler les uns et les autres** : se moquer des uns et des autres, les ridiculiser.
2. **Venimeux** : méchants, haineux.
3. **Taon** : grosse mouche piqueuse.

45 – Allons, Calogrenant, fit Keu, ne nous privez pas du récit de vos exploits ! Nous désirons savoir la suite, et je suis sûr que ma dame insistera pour la connaître.

– Calogrenant, dit la reine, ne vous souciez pas des propos venimeux de Keu. Il ne pense qu'à dire des méchancetés, comme 50 à son habitude. Mais ne refusez pas, à cause de lui, de raconter une histoire digne d'intérêt. Faites-le par amitié pour moi.

– Dame, je craindrais trop de vous fâcher, mais sachez bien qu'il m'en coûte beaucoup. Je vais donc raconter cette aventure, puisque cela vous fait plaisir.

55 Calogrenant reprit ainsi son récit :

– Voici ce qui m'arriva, il y a plus de six ans : je cheminais tout seul, à la recherche d'aventures, équipé de toutes mes armes, comme le doit un chevalier. Je trouvai sur ma droite un chemin, qui me conduisit au cœur d'une forêt épaisse : c'était la forêt 60 de Brocéliande ➲. Le sentier était difficile, plein de ronces et d'épines, et je le suivais à grand-peine. Finalement, je sortis de la forêt pour pénétrer dans une lande[1] ; là, je vis un petit château à une demi-lieue[2], et je me hâtai au trot dans sa direction. Il était entouré d'une palissade et d'un large fossé ; sur le pont-65 levis se tenait son propriétaire, avec sur son poing un épervier[3] dressé pour la chasse. À peine l'avais-je salué qu'il s'empressa de m'accueillir, en m'aidant à mettre pied à terre. J'avais bien besoin d'un logis pour le soir, et le vavasseur[4] ne cessait de bénir

1. **Lande** : terre où la végétation est constituée de plantes de taille modeste comme les fougères.
2. **Lieue** : unité de distance équivalant à environ quatre kilomètres. Une demi-lieue vaut donc deux kilomètres.
3. **Épervier** : oiseau de proie.
4. **Vavasseur** : vassal d'un vassal ; donc un noble possédant un domaine modeste.

➲ **Dans les romans de la Table ronde, Brocéliande est une forêt magique où vivent Merlin l'enchanteur et la fée Viviane. On l'identifie à la vaste forêt de Paimpont (plus de 7 000 ha), située en Bretagne, à l'ouest de la ville de Rennes.**

ma venue ➲. Il me fit entrer dans la cour, et là, il frappa trois
70 coups sur un gong en cuivre. Ce son fit sortir tout le monde de la maison ; les serviteurs s'occupèrent de mon cheval. Je vis alors venir vers moi une belle jeune fille de noble allure. C'était la fille du seigneur. Avec grâce[1] et adresse, elle me désarma et me revêtit d'un précieux manteau[2] bleu fourré. Je restai seul
75 avec elle, ce qui ne me déplaisait pas, car elle était ravissante à contempler. Elle m'emmena m'asseoir dans un très joli petit jardin et me tint compagnie jusqu'à l'heure du souper[3]. Après un repas parfait, que nous prîmes avec sa fille, le vavasseur me dit qu'il y avait bien longtemps qu'il n'avait hébergé un chevalier
80 errant en quête d'aventure ➲. Il me pria, à mon retour, de repasser par sa demeure, et j'acceptai bien volontiers. Le lendemain matin, dès le point du jour, je me levai après une excellente nuit ; je pris congé[4] de mon hôte et de sa fille et pris la route sur mon cheval.

85 À peu de distance du château, j'arrivai dans une clairière. Là, je trouvai des taureaux sauvages en train de se battre avec une violence terrible. Ces bêtes farouches et indomptables faisaient un tel vacarme que, je dois bien l'avouer, je reculai d'un pas, saisi de peur : aucun animal n'est plus dangereux et féroce qu'un
90 taureau ! J'aperçus alors, assis sur un tronc d'arbre, un paysan à la peau sombre comme un Maure ➲ : il était d'une laideur

1. **Avec grâce** : avec des gestes élégants et raffinés.
2. **Manteau** : sorte de grande cape sans manches, le manteau est un vêtement d'apparat souvent porté à l'intérieur.
3. **Souper** : dîner.
4. **Prendre congé** : faire ses adieux.

➲ **Au Moyen Âge, le devoir d'hospitalité est sacré. Tout seigneur doit accueillir le chevalier errant et se réjouir de sa venue.**

➲ **Le chevalier errant, comme son nom l'indique, voyage et offre ses services aux personnes qui en ont besoin. C'est l'un des types de héros des romans du Moyen Âge.**

➲ **À cette époque, on nomme Maures ou Sarrasins les peuples musulmans d'Afrique du Nord, dont la peau est brune.**

et d'une taille stupéfiantes. Il faisait bien dix-sept pieds ➲ de haut et avait une tête énorme, plus grosse que celle d'un cheval, des cheveux noirs hérissés et un front pelé. Ses oreilles étaient
95 poilues et grandes comme celles d'un éléphant, et ses sourcils touffus. Avec cela, une face large et plate, des yeux de chouette, un nez de chat, une bouche fendue comme la gueule d'un loup, de grandes dents jaunes et pointues comme un sanglier. Il était bossu et se tenait appuyé sur sa massue, dans un étrange habit :
100 le vêtement n'était fait ni de laine ni de lin[1], mais seulement de deux peaux de bêtes, taureaux ou bœufs, attachées à son cou.

» Me voyant approcher, le paysan sauta sur ses pieds. Voulait-il porter la main sur moi ? Je me préparai à me défendre. Pourtant il resta immobile, debout sur son tronc d'arbre ; il me
105 regardait sans dire un mot, comme l'aurait fait une bête. Je crus qu'il ne savait ni raisonner[2] ni parler. Je m'enhardis cependant à lui demander :

» – Hé, dis-moi donc, es-tu ou non une bonne créature ➲ ?

» – Je suis un homme !

110 » – Quel genre d'homme es-tu ?

» – Tel que tu me vois.

» – Et que fais-tu ?

» – Je reste là, et je garde ces bêtes dans le bois.

» – Tu les gardes ? Mais ce sont des bêtes sauvages ! Elles
115 n'ont jamais connu l'homme, et l'on ne peut les garder sauf dans un enclos.

1. **Lin** : étoffe réalisée par le tissage de la plante du même nom.
2. **Raisonner** : penser. Calogrenant pense qu'il ne s'agit pas d'un être doué de raison, donc que ce n'est pas un être humain.

➲ **Ancienne unité de mesure de longueur, le pied vaut environ trente centimètres. Dix-sept pieds font donc plus de cinq mètres.**

➲ **Devant cet être monstrueux, Calogrenant se demande s'il a affaire à un homme, créature de Dieu, ou à un démon, créature du Diable.**

» – Et pourtant, je suis leur gardien et je les gouverne[1]. Aucune ne peut s'échapper.

» – Et comment fais-tu ?

120 » – Elles n'osent même pas bouger, quand elles me voient venir. Si j'en attrape une, je la saisis par les cornes avec mes deux poings puissants, et toutes les autres tremblent de peur et se rassemblent autour de moi comme pour demander grâce[2]. Mais je suis le seul à pouvoir les approcher : tout autre se ferait 125 tuer aussitôt. C'est ainsi que je suis le seigneur de mes bêtes. Mais toi, à ton tour, dis-moi qui tu es et ce que tu cherches.

» – Je suis, tu le vois bien, un chevalier, et ce que je cherche, je ne le trouve pas. J'ai beaucoup cherché sans rien trouver.

» – Et que voudrais-tu trouver ?

130 » – Des aventures, pour mettre à l'épreuve ma vaillance[3] et mon courage ! Pourrais-tu m'indiquer, je t'en prie, une aventure ou un prodige[4] ?

» – Pour cela, n'y compte pas. Je ne connais rien aux aventures, je n'en ai même jamais entendu parler. Mais si tu voulais aller 135 jusqu'à une fontaine toute proche, je crois que tu n'en reviendrais pas sans peine, ni sans payer ton passage ➲ : il faudrait faire exactement ce qui est prescrit. Tu vas trouver tout près d'ici un sentier ; prends garde de ne pas t'égarer et suis-le tout droit. Tu arriveras à la fontaine. Elle bout à gros bouillons, et 140 pourtant elle est froide comme le marbre. Un arbre magnifique

1. **Je les gouverne** : ces bêtes m'obéissent.
2. **Demander grâce** : avouer que l'on se soumet à quelqu'un, que l'on est en son pouvoir. Cela fait partie du vocabulaire des duels de chevaliers.
3. **Vaillance** : bravoure, grand courage.
4. **Prodige** : action extraordinaire.

➲ **Le chevalier errant se trouve souvent confronté à des épreuves sur sa route et doit, par exemple, combattre un chevalier pour avoir le droit de traverser un pont. Il faut donc comprendre que, pour survivre à cette aventure, Calogrenant devra déployer des efforts extraordinaires.**

lui donne de l'ombre, le plus beau qui fut jamais au monde. Il ne perd jamais ses feuilles, même en hiver. Un bassin de métal[1] y est suspendu, au bout d'une longue chaîne qui va jusqu'à la fontaine. Tu trouveras à côté un perron[2], que je ne saurais 145 te décrire, tellement il est prodigieux, et aussi une chapelle[3], petite, mais très belle. Écoute bien : si tu prends de l'eau avec le bassin et que tu la verses sur le perron, une terrible tempête se déchaînera. Pas une bête ne restera dans le bois : chevreuils, daims, cerfs et sangliers prendront la fuite. Même les oiseaux 150 s'échapperont, car tu verras les arbres se briser sous l'assaut du vent, de la pluie et de la foudre. Si tu arrives à t'en sortir sans grands dommages, tu auras eu plus de chance qu'aucun autre chevalier qui y soit jamais allé.

» Je quittai alors le gardien et pris le sentier indiqué. Il était 155 presque midi quand j'aperçus la chapelle et l'arbre. C'était un pin, le plus beau qui ait jamais poussé sur terre. Il était si touffu qu'aucune goutte de pluie n'aurait pu le traverser. Je vis le bassin d'or fin suspendu à l'arbre. Quant à la fontaine, elle bouillait comme de l'eau brûlante. Le perron était taillé dans 160 une seule émeraude et soutenu par quatre rubis flamboyants, plus vermeils qu'un soleil levant. Vous pouvez me croire, tout ce que je rapporte est vrai ! J'eus alors le désir de voir le prodige de la tempête. Quelle folie, quand j'y pense maintenant ! Dès que j'eus arrosé le perron avec l'eau puisée dans le bassin, je 165 vis le ciel noir de nuages se déchirer et la foudre tomber en quatorze endroits à la fois ! C'était un déchaînement : les éclairs

1. **Bassin de métal** : récipient servant à puiser l'eau.
2. **Perron** : gros bloc de pierre. En français moderne, le mot désigne le seuil ou l'escalier de quelques marches devant une maison.
3. **Chapelle** : sorte de petite église.

m'aveuglaient, les nuages en furie[1] jetaient neige, pluie et grêle. Je pensai mourir, frappé par la foudre ou écrasé par les arbres qui se brisaient à côté de moi. Mais grâce à Dieu, la tempête ne dura pas et les vents se calmèrent. L'air redevint pur et clair, et je fus rassuré. C'est alors que les oiseaux revinrent ; ils se rassemblèrent et se perchèrent sur toutes les branches du pin. Ils se mirent à chanter leur joie en chœur : chaque mélodie était différente et pourtant elle s'accordait avec celle des autres en une harmonie parfaite. Leur chant remplit mon cœur d'une joie inexprimable, telle que je n'en avais jamais connue.

» Je restais là immobile à les écouter, quand tout à coup j'entendis venir une troupe de chevaliers. Ils devaient bien être dix, vu le vacarme qu'ils faisaient. Mais non, il n'y avait là qu'un seul chevalier ! À sa vue, je remontai sur mon cheval sans tarder. Plein de rage, il fonça vers moi comme un aigle sur sa proie et, hurlant de toutes ses forces, il me lança son défi :

» – Vassal, vous m'avez gravement offensé, sans même me lancer un défi avant de m'attaquer, comme vous auriez dû le faire ! Vous m'avez causé un grand dommage[2] : c'est mon bois que je vois ici abattu. Je porte plainte à juste titre, car vous m'avez obligé à sortir de mon château qui menaçait de s'effondrer. Ni rempart ni mur n'auraient pu résister. Vous êtes mon ennemi, et vous allez payer cher le mal que vous m'avez fait !

» À ces mots, nous nous précipitâmes l'un contre l'autre, chacun se protégeant au mieux de son écu[3]. Le chevalier avait un bon cheval et une lance solide. Il était plus grand que moi et,

1. **En furie** : dans un déchaînement de violence.
2. **Dommage** : préjudice, dégâts.
3. **Écu** : bouclier.

Un vassal est une personne placée sous les ordres d'un seigneur, son suzerain. Ici, le terme est agressif : il désigne l'autre comme un inférieur.

aussi bien pour la taille que pour le cheval, j'étais désavantagé. Je dis la vérité, croyez-moi, pour atténuer un peu ma honte. Je frappai aussi fort que je le pus, et lui donnai un grand coup, qui l'atteignit au milieu de son écu. Ma lance vola en éclats et la sienne resta intacte. Le chevalier m'en donna un tel coup qu'il me jeta à bas de mon cheval et m'aplatit à terre. Il me laissa vaincu et humilié, sans m'accorder un regard. Il emmena mon cheval et rentra chez lui. Complètement perdu, je restai là, plein d'angoisse[1] et de honte. Je m'assis à côté de la fontaine. Que faire ? Suivre le chevalier ? Ç'aurait été une folie, je ne savais même pas quel chemin il avait pris. Finalement, je pensai à la promesse faite à mon hôte, de revenir en passant chez lui. C'est ce que je décidai de faire, mais je dus ôter mes armes pour cheminer plus à l'aise, et c'est ainsi que je revins, tout honteux. Quand j'arrivai à la nuit chez le vavasseur, je le trouvai pareil à lui-même, aussi aimable et accueillant qu'à l'aller. Ni sa fille ni lui ne semblaient moins heureux de me voir. Ils m'accordèrent les mêmes marques d'estime et m'assurèrent qu'aucun homme, à leur connaissance, n'avait réchappé de l'épreuve sans être tué ou emprisonné.

» Voilà donc mon aventure. C'était une vraie folie, qui a tourné à ma honte ➲, et c'est une autre folie de vous l'avoir racontée.

1. **Plein d'angoisse** : étonné et terrifié.

➲ **Calogrenant est honteux d'avoir été vaincu mais aussi d'avoir dû abandonner ses armes, symbole de son statut de chevalier.**

2
Yvain à la fontaine

À peine Calogrenant avait-il terminé son récit que monseigneur Yvain s'écria :

– Par ma foi, Calogrenant, vous êtes mon cousin germain, et j'ai beaucoup d'affection pour vous. La vraie folie, c'est de m'avoir caché si longtemps cette aventure ! Ne m'en veuillez pas si je parle de folie car, si je peux, j'irai venger votre honte au plus vite.

Keu ne pouvait laisser passer cette occasion de répandre son venin.

– On voit bien que vous avez vidé plus d'une coupe à ce festin ! C'est le vin qui rend les chevaliers audacieux ! Après un repas bien arrosé, chacun se propose d'aller tuer Saladin. Dites-moi, monseigneur Yvain, votre équipement est-il déjà préparé ? Pas une pièce d'armure, pas une bannière[1] ne manque ? Partez-vous ce soir ou demain ? Quand vous irez à cette épreuve, dites-le-nous, car nous tenons à vous escorter.

– Avez-vous perdu la tête, Keu, s'écria la reine, que[2] votre langue ne s'arrête jamais ? Maudite soit cette langue, qui ne cesse de dénigrer[3] : elle vous fait détester partout. Vous recevrez un jour la punition de toutes ces méchancetés.

1. **Bannière** : sorte de drapeau attaché à la lance du chevalier et portant ses armoiries (emblèmes).
2. **Que** : pour que.
3. **Dénigrer** : critiquer, calomnier.

Saladin est le nom donné en Occident à Salah al-Din, sultan d'Égypte et de Syrie, qui, au XIIe siècle, reprit Jérusalem aux croisés. C'est le type même de l'ennemi redoutable et prestigieux.

– Dame, intervint alors Yvain, sachez que toutes les moqueries de Keu me laissent froid. Je ne veux pas me quereller ni répondre à ses provocations, et ressembler à un chien hargneux qui se hérisse et grogne quand un autre lui montre les dents.

Pendant qu'ils parlaient ainsi, le roi Arthur sortit de sa chambre où il avait fait une longue sieste. Les barons[1] se levèrent à son arrivée, mais il les fit rasseoir. Il s'assit à côté de la reine, qui lui répéta fidèlement tout ce qu'avait raconté Calogrenant. Le roi, ayant écouté, fit le serment, sur l'âme d'Uter Pendragon son père, d'aller à la fontaine. Avant quinze jours passés, il déclencherait la tempête et verrait le prodige. Il y ferait étape la veille de la Saint-Jean, avec tous ceux qui voudraient l'accompagner.

Ces paroles furent chaudement approuvées par la cour : tous, aussi bien les barons que les jeunes chevaliers, désiraient fort y aller. Mais au milieu de cette allégresse[2], monseigneur Yvain faisait triste mine, car il pensait bien s'y rendre tout seul. Si le roi s'y présentait, le droit de livrer le combat serait sûrement accordé à Keu, qui se précipiterait pour l'obtenir, ou bien à monseigneur Gauvain... Cette idée le désespérait !

Yvain prit alors la décision d'y aller sans attendre personne. Il affronterait seul l'épreuve, quoi qu'il en advienne, échec ou réussite. Il serait avant trois jours en Brocéliande. Là, il chercherait jusqu'à ce qu'il trouve le sentier plein de ronces et parvienne à la maison du vavasseur hospitalier et de sa fille. Il arriverait ensuite à la clairière où il verrait les taureaux et leur gardien terrifiant, le grand paysan hideux et bossu, noir comme un forgeron. Il trouverait enfin le perron, la fontaine avec le bassin, et les oiseaux posés sur le grand pin. Il déclencherait alors la pluie

1. **Barons** : chevaliers les plus importants de la cour.
2. **Allégresse** : joie.

et le vent. Tout cela, il le ferait en secret, et l'on verrait bien ce qui en sortirait, la honte ou l'honneur.

Monseigneur Yvain s'esquiva[1] de la cour sans dire un mot à personne et se dirigea vers sa demeure. Là, il fit mettre la selle à son cheval et appela un de ses écuyers à qui il ne cachait rien :

– Je vais sortir tranquillement par la porte, monté sur mon palefroi. Toi, tu me rejoindras plus loin, dans un lieu discret, avec mes armes et mon destrier. Quand tu me les auras donnés, tu reviendras ici avec le palefroi. Mais surtout, prends bien garde à ne rien raconter à qui que ce soit !

– Seigneur, soyez sans inquiétude, personne n'en saura rien par moi. Allez, je vous suivrai bientôt.

Monseigneur Yvain monta aussitôt à cheval, bien décidé à ne pas revenir devant la cour avant d'avoir vengé la honte de son cousin. L'écuyer courut chercher les armes et le destrier. Suivant son seigneur à la trace, il le rejoignit dans un endroit écarté. Là, il l'aida à s'équiper et ils échangèrent leurs chevaux.

Le chevalier ne perdit pas un instant, il chevaucha par les montagnes et par les vallées, à travers les forêts profondes. Il rencontra bien des embûches[2] en franchissant des contrées sauvages et hostiles. Il découvrit enfin le sentier étroit et plein de ronces, dans la forêt ténébreuse. Sûr d'être sur le bon chemin, il pressa son cheval, car son seul désir était de voir la fontaine

1. **S'esquiva** : se retira sans qu'on le voie.
2. **Embûches** : obstacles, pièges.

L'écuyer est un jeune noble qui fait son apprentissage de chevalier ; il a en charge les armes et les chevaux de son seigneur.

Au Moyen Âge, les chevaux portaient des noms différents selon leur fonction. Le palefroi est le cheval de promenade ou de voyage. Il se distingue du destrier, cheval de bataille dressé pour le combat à la lance. Quand le chevalier ne le monte pas, l'écuyer mène le destrier à côté en le guidant par la main droite (la *dextre*, d'où son nom).

70 et son perron, avec le grand pin qui l'ombrageait, et de déclencher la terrible tempête. Mais avant d'y parvenir, il lui fallut passer la nuit chez le vavasseur, où il trouva l'accueil généreux et bienveillant qu'on lui avait laissé prévoir. La jeune fille surpassait encore, en courtoisie et en beauté, tout ce qu'avait pu dire 75 Calogrenant.

Le lendemain, il partit dès l'aube et arriva à la clairière. Là, il découvrit les taureaux et leur gardien, qui lui indiqua le chemin à suivre. Mais il se signa[1] plus de cent fois, dans sa stupéfaction : comment la nature avait-elle pu produire un monstre 80 aussi hideux ? Après cela, il chevaucha jusqu'à la fontaine, où il trouva tout ce qu'il voulait voir. Sans perdre un instant et sans hésiter, il versa d'un seul coup sur le perron un plein bassin d'eau. Aussitôt la tempête se déchaîna, comme il était prévu. Lorsque Dieu fit revenir le beau temps, les oiseaux se rassem- 85 blèrent sur le pin et chantèrent leur joie merveilleuse au-dessus de la fontaine périlleuse. Mais leur concert joyeux fut interrompu par le fracas d'un cheval qui arrivait au galop. Enflammé d'un courroux[2] ardent, le gardien de la fontaine arrivait.

Aussitôt qu'ils se virent, les deux hommes s'élancèrent l'un 90 contre l'autre, animés d'une haine mortelle. Chacun avait une lance solide, et ils se donnaient des coups terribles, perçant les écus, déchirant les hauberts[3]. Les lances rompues furent vite en morceaux sur le sol. Ils s'affrontèrent alors à l'épée. Les écus déchiquetés ne purent bientôt plus les couvrir, car leurs 95 courroies avaient été tranchées. Il leur fallut se battre sans

1. **Se signa** : fit un signe de croix pour appeler la protection de Dieu.
2. **Courroux** : colère.
3. **Hauberts** : tuniques en mailles, à manches et à capuchon, portées par les soldats au Moyen Âge.

protection : les coups d'épée arrivaient librement sur les bras et les hanches, le sang coulait. Farouchement ils s'affrontaient, solides comme des rocs. Leurs heaumes[1] étaient tout cabossés, et leurs hauberts si déchirés qu'ils ne valaient pas plus
100 qu'un froc[2] de moine pour les protéger ! Les épées menaçaient maintenant leurs visages. Comment une bataille aussi rude pouvait-elle durer aussi longtemps ? Mais les deux adversaires étaient si indomptables que pas un n'avait cédé un pouce de terrain à l'autre. Leurs chevaux étant encore intacts, ils poursui-
105 virent le combat sans mettre pied à terre. À la fin monseigneur Yvain fracassa le heaume du chevalier. Celui-ci resta étourdi et assommé : jamais encore il n'avait reçu un aussi terrible coup. Il avait le crâne fendu, et la cervelle coulait avec le sang jusqu'à tacher son haubert. Se sentant blessé à mort, près de s'évanouir,
110 il prit la fuite vers son château. Dès qu'on le vit, on abaissa le pont-levis et on lui ouvrit toute grande la porte. Monseigneur Yvain, éperonnant son cheval, se rua à sa poursuite ; il le serrait de près, furieux de voir sa victoire lui échapper. S'il ne le prenait pas, mort ou vif, il aurait perdu sa peine. Les railleries de Keu
115 étaient encore toutes fraîches à sa mémoire, et il savait bien qu'à la cour on ne le croirait pas, s'il ne rapportait pas de véritables preuves de son exploit.

Les voici donc tous deux à la porte du château, où ils pénétrèrent, l'un poursuivant l'autre, sans rencontrer personne. Ils
120 arrivèrent d'un même élan au seuil du palais ➲. La porte était haute, mais le passage étroit : deux hommes ne pouvaient y

1. **Heaumes** : casques.
2. **Froc** : longue robe de laine portée par les moines.

➲ **Le château désigne souvent au Moyen Âge l'ensemble des habitations regroupées à l'intérieur d'une enceinte fortifiée. La demeure du seigneur, située au centre, est nommée tour, donjon ou palais.**

entrer de front ou se croiser. Elle cachait un piège redoutable : il y avait sous la voûte deux trébuchets[1], qui retenaient en l'air une porte coulissante en fer, aiguisée et tranchante. Il suffisait que quelqu'un effleure ce mécanisme pour qu'aussitôt la porte, libérée, descende et tranche en deux celui qu'elle atteignait. Le chemin entre les deux trébuchets était étroit, et le seigneur, qui le connaissait bien, passa juste où il fallait. Mais monseigneur Yvain, comme un insensé, se précipita derrière lui à bride abattue pour le saisir par l'arçon[2] de sa selle. Ce fut une chance pour lui de s'être ainsi penché en avant, car autrement, il eût été coupé en deux. Le cheval en effet marcha sur le trébuchet de bois, et aussitôt le mécanisme se déclencha : la porte aiguisée comme une lame trancha la selle et l'arrière du cheval. Dieu merci, elle ne toucha pas Yvain, elle s'abattit, rasant son dos, lui tranchant les deux éperons au ras des talons. Il tomba à terre, plein d'effroi : il s'en était fallu d'un rien !

Pendant ce temps, le chevalier, qui était blessé à mort, franchit une seconde porte du même genre, qui retomba aussitôt derrière lui. Voilà monseigneur Yvain prisonnier.

1. **Trébuchets** : pièces de bois articulées du mécanisme permettant de lever et d'abaisser une lourde porte.
2. **Arçon** : armature de la selle formée de deux pièces cintrées, l'une à l'avant et l'autre à l'arrière de la selle.

3
Yvain prisonnier

Yvain resta là tout égaré. Il était enfermé dans une grande salle, dont le plafond était orné de clous dorés, et les murs peints de riches couleurs. Mais ce qui le désespérait, c'était d'ignorer où son ennemi avait bien pu passer. Il était donc plongé dans 5 le désarroi, quand il vit soudain s'ouvrir la porte étroite d'une petite chambre, et une demoiselle entrer dans la salle. Elle découvrit monseigneur Yvain et s'alarma pour lui :

– Chevalier, je crains que vous ne soyez pas le bienvenu ici. Si l'on vous aperçoit, vous allez être mis en pièces, car mon sei- 10 gneur, Esclador le Roux, est blessé à mort, et je sais bien que c'est vous qui l'avez tué. Ma dame est plongée dans la douleur, et ses gens autour d'elle poussent des cris déchirants : ils sont bien près de se tuer de chagrin. Ils savent que vous êtes prisonnier de ces murs, mais ils n'arrivent pas, tant leur peine est grande, 15 à décider s'ils veulent vous tuer ou vous garder captif !

– À dire vrai, aucune de ces deux solutions ne me plaît.

– En effet, dit-elle, et je vais faire tout mon possible pour qu'il en soit autrement. Je vois que vous n'êtes pas trop effrayé, et cela prouve que vous êtes un vaillant chevalier. Sachez que, si je 20 le peux, je vous aiderai, car jadis vous en avez fait autant pour moi. Je m'appelle Lunette[1], et je suis la suivante[2] de la dame de

1. **Lunette** : « petite lune » (les lunettes de vue n'existent pas au Moyen Âge).
2. **Suivante** : jeune fille noble, dame de compagnie d'une femme de haut rang.

Une demoiselle est une femme noble mais d'un rang moins élevé que la dame (ligne 21) qui est propriétaire de terres ou qui est l'épouse d'un seigneur. Mariée ou non, la demoiselle fait souvent partie de la suite d'une dame.

ce château, la noble Laudine. Un jour, ma dame m'avait envoyée porter un message à la cour du roi Arthur ; je ne sais si je manquais de courtoisie ou de raffinement, mais aucun chevalier ne daigna m'adresser la parole, sauf vous qui êtes ici. Vous m'avez traitée avec beaucoup de considération, et vous allez en recevoir la récompense. Je sais bien quel est votre nom : vous êtes Yvain, le fils du roi Urien. Vous pouvez en être sûr, vous ne serez ni capturé ni mis à mal. Prenez cet anneau qui m'appartient, vous me le rendrez lorsque je vous aurai délivré.

Lunette lui tendit alors un anneau, en lui expliquant son pouvoir : si l'on tournait vers l'intérieur la pierre qui y était incrustée, de manière à la serrer dans son poing, on devenait invisible. L'anneau cachait celui qui le portait, comme l'écorce cache le tronc de l'arbre. Il n'avait plus rien à craindre, même au milieu de ses ennemis : personne ne pourrait lui faire de mal. Voilà qui plaisait bien à monseigneur Yvain !

La demoiselle le fit asseoir sur un lit recouvert d'une riche couverture et proposa de lui apporter à manger. Il accepta très volontiers. Elle courut dans sa chambre et revint bien vite, portant un chapon rôti, un gâteau et une nappe, avec un plein pot d'excellent vin. Elle l'invita à prendre ce repas, et Yvain lui fit honneur, car il avait bien besoin de reprendre des forces.

À peine avait-il fini de manger et de boire, que les chevaliers commencèrent à parcourir le château pour retrouver celui qui avait tué leur seigneur. Ils ne pensaient qu'à le venger.

– Vous entendez, dit la demoiselle à Yvain, les voilà tous à votre recherche ! Surtout, ne bougez pas de ce lit, malgré tout le vacarme et le bruit qu'ils pourront faire. La salle va être remplie d'une foule de gens qui vous haïssent à mort. On va sans doute apporter bientôt le corps dans le cercueil. Ils sont bien décidés à vous trouver : ils vont chercher partout, sous les bancs et sous les lits, mais en pure perte. Ils seront fous de rage, si déconfits et si frustrés que vous pourrez bien vous amuser à ce spectacle. 55 Mais je vous laisse, car je n'ose m'attarder davantage. Je remercie Dieu de m'avoir donné l'occasion de vous aider, et de vous rendre ainsi le bien que vous m'avez fait.

Sur ces mots Lunette sortit, laissant la place aux gens du château, qui se précipitèrent vers les deux portes, armés d'épées et 60 de bâtons. Ils avaient vu devant la porte la moitié du cheval tranché en deux, et ils étaient bien sûrs de trouver dedans le cavalier, qu'ils brûlaient de mettre à mort. Faisant lever la porte, ils se ruèrent à l'intérieur, et là, ils trouvèrent l'autre moitié du cheval mort… et rien d'autre ! Ils eurent beau écarquiller les yeux, ils 65 ne virent personne. Ils regardèrent autour d'eux, fous de rage et stupéfaits.

– Comment est-ce possible ? Il n'y a ici ni porte ni fenêtre par où l'on puisse s'évader, à moins de voler comme un oiseau, ou de sauter comme un écureuil ! Les fenêtres ont des barreaux et 70 les portes ont été fermées après le passage de notre seigneur. L'homme doit être là-dedans, mort ou vivant. Tout ce qu'on peut voir, c'est la moitié de la selle et les deux éperons coupés net, qui sont tombés de ses pieds. Cherchons encore dans tous les recoins, car il est encore ici, c'est certain. Il ne peut pas avoir 75 disparu, à moins d'un mauvais tour de magie.

Ils fouillèrent toute la salle comme des enragés, frappant contre les murs, les lits, les bancs. Seul le lit où reposait Yvain ne fut pas touché, car il était vide, de toute évidence. Ils renversèrent bancs et escabeaux pour mieux voir en dessous, et 80 donnèrent des coups avec leurs bâtons, comme le fait l'aveugle qui cherche quelque chose à tâtons.

Pendant qu'ils se démenaient ainsi, entra dans la salle une femme plus belle qu'aucune créature au monde : c'était Laudine, la dame du château. Elle était accablée de douleur, bien
85 près de se donner la mort à elle-même. Par moments, elle poussait de grands cris, puis elle tombait à terre évanouie. Se relevant ensuite, elle déchirait ses vêtements et s'arrachait les cheveux, comme une femme qui a perdu la tête. Rien ne pouvait la consoler, car devant elle on apportait le corps de son époux,
90 mort, dans son cercueil. Ses cris étaient déchirants : jamais, pensait-elle, son chagrin ne pourrait s'apaiser.

La procession qui accompagnait le corps d'Esclador le Roux s'avança : en tête venaient les religieuses portant la croix, l'eau bénite et les cierges, puis les prêtres avec les encensoirs et les
95 missels, où ils devaient lire les prières pour l'âme du malheureux défunt ➲. On n'entendait que gémissements et cris de douleur, tant le deuil était grand.

La procession passa, mais au milieu de la salle, il y eut soudain un grand tumulte. Tous les assistants se groupèrent autour du
100 cercueil pour voir ce prodige incroyable : le sang vermeil jaillissait tout chaud de la plaie du mort ! C'était la preuve ➲ évidente que le meurtrier se trouvait là, présent dans la pièce. Aussitôt, tous se remirent à chercher, renversant les meubles, fouillant

➲ **Différents objets du culte chrétien sont réunis ici. Les cierges sont de grandes bougies de cire, les encensoirs, de petits vases de métal où l'on fait brûler de l'encens (parfum utilisé depuis l'Antiquité pour les cultes religieux). Les missels sont des livres contenant des prières et les textes de la messe.**

➲ **Croyance fort répandue au Moyen Âge : on pensait que les plaies d'un mort se mettaient à saigner en présence de son meurtrier.**

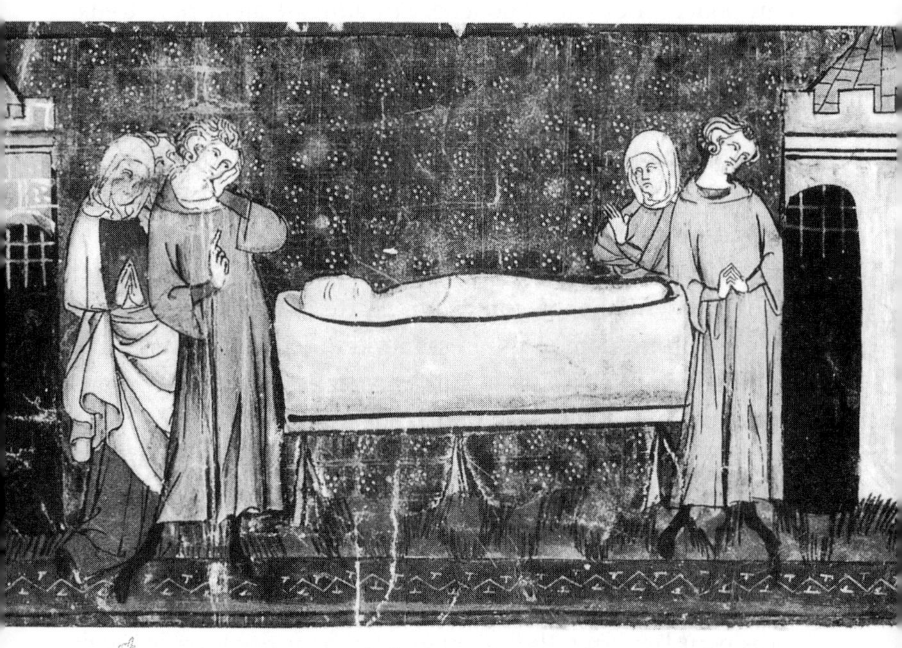

Lamentations devant la dépouille d'Esclador le Roux, extrait d'*Yvain, le Chevalier au lion*, de Chrétien de Troyes, XIVe siècle.

- Que font les personnages autour d'Esclador ? Commente leurs gestes.
- Comment peux-tu distinguer les personnages féminins et les personnages masculins ?
- D'après la composition de l'image, où est exposé le corps d'Esclador ?

chaque recoin. Sans plus de succès. Monseigneur Yvain, là où il était couché, reçut bien des coups, mais sans bouger d'un pouce ni ouvrir la bouche. Les autres étaient hors d'eux, pleins d'angoisse et de colère à la vue du sang vermeil qui ne cessait de couler des blessures.

– Le meurtrier est ici, et nous ne pouvons le voir. Il y a là diablerie ou magie.

La dame était folle de douleur et criait, dans son délire :

– Va-t-on enfin trouver l'assassin, le traître qui a tué mon vaillant époux ? Seigneur Dieu, tu n'as pas le droit de le laisser s'échapper ! Aide-nous contre lui, écarte le maléfice. C'est un fantôme ou un démon qui s'est introduit ici parmi nous. Si je ne puis le voir, c'est que je suis ensorcelée ! Montre-toi donc, fantôme : tu es bien lâche de te cacher devant moi, alors que tu as affronté mon époux ! Mais comment as-tu pu le vaincre, sinon par trahison ? Aucun simple mortel n'aurait pu lui tenir tête, car il n'avait pas son pareil au monde.

Voilà comment la dame s'affligeait et se torturait elle-même. Ses gens étaient en proie à une douleur immense. Ils emportèrent le corps pour l'enterrer. Ils avaient tout fait pour retrouver le meurtrier, mais à la fin, écœurés, ils furent obligés d'abandonner.

Yvain ne resta pas longtemps seul dans la salle. Il vit bientôt revenir Lunette.

– Cher seigneur, lui dit-elle, vous avez subi une véritable invasion ! Ils ont déchaîné une vraie tempête ici, fouillant toutes les caches comme un chien de chasse qui suit à la trace perdrix ou caille ! Vous avez dû avoir une belle peur.

– Ma foi, vous avez raison, je n'en ai jamais eu de telle. Mais, si cela était possible, je voudrais bien regarder dehors par un trou ou par une fenêtre, pour voir la procession et le corps.

En fait, il ne s'intéressait ni au corps ni à la procession. C'était dans l'espoir de revoir la dame du château qu'il faisait cette demande.

La demoiselle l'installa donc à une petite fenêtre et, de là, il put observer la belle dame, qui se lamentait :

– Cher époux, que Dieu prenne en pitié votre âme ! Jamais, je l'affirme, aucun chevalier ne fut votre égal. Personne ne montra autant de belles qualités : vous étiez noble, courageux, courtois et généreux. Que votre âme trouve place dans la communauté des saints, très cher époux !

À ces mots, égarée de douleur, elle se mit à déchirer et lacérer[1] ses vêtements. Yvain aurait bien voulu courir lui retenir les mains, mais Lunette le supplia :

– Ne faites surtout pas de folie ! Vous êtes ici très bien. Ne bougez, pour rien au monde, avant que le deuil soit calmé. Laissez ces gens s'en aller, ils finiront bien par rentrer chez eux. Vous allez donc vous asseoir à cette fenêtre et les regarder passer ; personne ne peut vous voir. Mais surtout, pas d'imprudence, vous y laisseriez votre tête : ce ne serait pas bravoure, mais folie. Bref, tenez-vous tranquille jusqu'à mon retour, car je n'ose m'attarder davantage. Si je restais absente plus longtemps, cela risquerait d'éveiller les soupçons.

Sur ces mots, elle s'en alla, et le chevalier resta, posté devant la fenêtre. Il était désolé car il voyait qu'on était en train d'enterrer le cadavre et qu'il ne pourrait rien conserver de lui, qui fasse la preuve de sa victoire. Il serait déshonoré et ne parviendrait pas à se défendre face aux perfidies[2] et méchancetés de Keu. Le sénéchal ne manquerait pas de l'abreuver de sarcasmes[3].

1. **Lacérer** : mettre en pièces.
2. **Perfidies** : propos malveillants.
3. **Sarcasmes** : moqueries.

Mais ces amères réflexions furent bientôt chassées par de nouvelles pensées, douces comme le miel. C'était l'amour qui venait le visiter, et s'installer en lui pour y régner en maître. Son ennemie s'était emparée de son cœur, le cœur de l'homme 165 qu'elle détestait le plus. Elle avait bien vengé, sans le savoir, la mort de son époux. Yvain était blessé d'une plaie dont il ne guérirait jamais.

Monseigneur Yvain était toujours à la fenêtre. Les gens étaient partis, une fois l'enterrement terminé. Laudine était restée 170 seule, en proie à la douleur, tantôt se tordant les mains, tantôt se prenant à la gorge, puis se calmant soudain pour essayer de lire des prières dans son psautier, enluminé de lettres d'or ➲. Et plus Yvain la regardait, et plus il l'aimait et désirait lui parler. Mais ce désir était sans espoir, car il ne pouvait croire qu'il puisse un 175 jour le réaliser.

– Je dois être complètement fou, pour désirer ce que je n'obtiendrai jamais. J'ai blessé à mort son époux, et j'imagine que je vais faire la paix avec elle ! Par ma foi, c'est une idée insensée, car elle me hait à cette heure plus que toute autre créature, et 180 elle a bien raison... « À cette heure » est le mot juste, car ne dit-on pas « Souvent femme varie » ? Son humeur ne pourra-t-elle à une autre heure changer ? Oui, elle changera, je veux le croire, et je ne dois pas désespérer. Au contraire, je vais aimer mon ennemie. Je l'appelle « mon ennemie » parce qu'elle me hait, 185 et elle n'a pas tort, puisque j'ai tué la personne qu'elle aimait. Quant à moi, je ne suis pas son ennemi, mais son ami, car je l'aime plus que tout au monde.

➲ **Le psautier est un livre de prières, contenant des *psaumes*, c'est-à-dire des chants religieux. Il est « enluminé », c'est-à-dire décoré de lettres peintes et de miniatures, appelées *enluminures*.**

» Comme je souffre de la voir dans cet état ! Ses beaux cheveux, brillants comme de l'or pur, qu'elle arrache sans pitié ! Ses pleurs ne cessent de couler, mais, même pleins de larmes, ses yeux sont les plus beaux du monde. Et ce qui me désole le plus, c'est qu'elle griffe ce visage délicat aux fraîches couleurs, qui n'a pas mérité une telle férocité. Elle se fait le plus de mal possible ! Quelle frénésie[1] ! Pourquoi tordre ses blanches mains, frapper et déchirer sa poitrine ? Ne serait-elle pas une pure merveille à contempler si elle était heureuse, alors qu'elle est déjà si belle dans le chagrin ?

C'est ainsi que monseigneur Yvain contemplait celle qui se détruisait de douleur. Il resta à la fenêtre jusqu'à ce qu'il vît partir la dame, et descendre à nouveau les deux portes coulissantes. Un autre aurait été navré d'être emprisonné en ce lieu. Mais tout cela lui était bien égal, car il ne serait parti à aucun prix : l'amour le retenait prisonnier.

Lunette revint le trouver. Elle voulait lui tenir compagnie, afin de le réconforter et le distraire un peu. Elle le trouva plongé dans ses pensées et abattu.

– Alors, monseigneur Yvain, comment s'est passée cette journée ?

– D'une manière qui m'a beaucoup plu.

– Beaucoup plu ? Est-ce bien la vérité ? Quel plaisir de voir les gens vous rechercher pour vous tuer, à moins d'avoir envie de mourir !

– Certes, ma chère amie, je n'ai aucune envie de mourir. Toutefois, j'ai vu une chose qui m'a plu infiniment, qui me plaît encore et me plaira à tout jamais.

1. **Frénésie** : état d'agitation extrême.

– N'en parlons plus, car je vois bien de quoi il est question. Je ne suis pas assez sotte pour ne pas comprendre. Suivez-moi plutôt, car je vais m'occuper de vous délivrer de cette prison.

– Soyez certaine que je ne sortirai pas d'ici avant longtemps, 220 si ce doit être en cachette comme un voleur.

À ces mots, il entra à sa suite dans la petite chambre donnant sur la salle. La demoiselle lui fournit tout ce dont il avait besoin pour la nuit, puis le quitta. Mais elle gardait en mémoire ses paroles, combien il avait été ravi par ce qu'il avait vu aujourd'hui.

LECTURE ACTIVE 2

→ Voir aussi étape 2, p. 146.

Chapitres 1 à 3 • La première aventure d'Yvain

As-tu bien lu ?

1 Remets dans l'ordre les étapes de la première aventure d'Yvain.

1 Il retrouve un sentier de ronces dans la forêt de Brocéliande.
.... Il se bat contre le gardien de la fontaine.
.... Il passe la nuit dans la maison d'un vavasseur* hospitalier.
.... Il se dirige vers une fontaine avec un perron.
.... Il déclenche le prodige de la tempête.
.... Il va à la rencontre d'un monstrueux gardien de taureaux.

2 Vrai ou faux ? Coche la bonne réponse.

	Vrai	Faux
a. Yvain part seul venger la honte de Calogrenant.	☐	☐
b. Il l'emporte contre le gardien de la fontaine.	☐	☐
c. Il est reçu en triomphateur dans son château.	☐	☐
d. Il tombe amoureux de sa dame, Laudine.	☐	☐

3 Quels phénomènes merveilleux se produisent au cours des trois premiers chapitres ?

Atelier

Réaliser une enluminure

▸ ***Objectif.*** Appréhender ce qu'est un manuscrit médiéval.

▸ ***Préparation.*** En petits groupes, feuilleter le manuscrit d'Yvain figurant sur la page http://expositions.bnf.fr/arthur/livres/yvain/ et observer ses enluminures. Préparer une feuille de parchemin (feuille blanche un peu épaisse, teintée au café ou au thé). En classe, choisir l'un des prodiges racontés dans le chapitre 3 et isoler le passage correspondant.

▸ ***Réalisation.*** Au crayon, délimiter les espaces consacrés au texte et à l'enluminure. Calligraphier l'extrait de texte avant de le repasser à l'encre noire. Puis crayonner la scène et la colorer ; penser à mettre en valeur son caractère merveilleux.

▸ ***Réfléchir ensemble.*** Quel manuscrit enluminé semble le plus « médiéval » ?

4
La dame du château

Lunette était en si bons termes avec sa dame qu'elle pouvait aborder tous les sujets avec elle, car elle était sa suivante et sa confidente. Pourquoi aurait-elle hésité à réconforter Laudine et à la conseiller suivant ses intérêts ?

5 La première fois qu'elle la vit en tête-à-tête, elle lui parla ainsi :

– Dame, je suis surprise de vous voir agir de manière insensée. Croyez-vous retrouver votre époux en vous lamentant de la sorte ?

– Non, mais je voudrais être morte de chagrin.

– Et pourquoi ?

10 – Pour rejoindre mon mari, le noble Esclador.

– Le rejoindre ? Dieu vous en garde ! Priez-le plutôt de vous rendre un époux de même vaillance !

– C'est impossible ! Il n'en existe pas d'aussi vaillant !

– Si, bien sûr, et je vous le prouverai.

15 – Tais-toi, va-t'en ! Jamais je ne trouverai un tel homme.

– Mais si, dame, si vous y consentez. Mais dites-moi maintenant, sans vous vexer, qui protégera votre domaine quand le roi Arthur viendra à la fontaine ? Vous avez appris qu'il y sera dans une semaine. Il vous faut à présent prendre une décision pour

20 défendre votre fontaine ➲, et vous n'arrêtez pas de pleurer !

➲ **Si personne au château n'est capable de défendre la fontaine contre les chevaliers du roi Arthur, les propriétés de la dame reviendront au roi. On retrouve souvent dans les romans du Moyen Âge ce type de situation où un chevalier fait le vœu de défendre un lieu (un pont, une porte).**

Il n'y a pas de temps à perdre, car les chevaliers d'ici ne valent pas plus qu'une chambrière[1] : pas un ne prendra l'écu ou la lance pour combattre. Ils sont très forts en parole, mais aucun ne tiendra tête aux chevaliers du roi Arthur, qui pourra s'empa-
25 rer de toutes vos terres.

Laudine savait que sa suivante avait raison. Mais comme toutes les femmes, elle était entêtée : elle préférait refuser un avis judicieux[2], plutôt que d'admettre qu'elle avait tort.

– Va-t'en, et ne m'en parle plus jamais. Ton bavardage
30 m'exaspère !

– Voilà qui est parfait ! On voit bien que vous êtes une femme : les sages conseils ne font que vous irriter.

Elle la laissa seule, et Laudine se mit à réfléchir : elle comprit qu'elle avait eu tort. Elle aurait dû lui faire dire comment il
35 était possible de trouver un chevalier supérieur à son mari. Elle voudrait bien que Lunette le lui dise, mais elle le lui a défendu ! Cette pensée l'occupa jusqu'au retour de la jeune fille. Sans tenir aucun compte de son interdiction, la demoiselle reprit immédiatement :

40 – Est-il bien raisonnable de vous détruire ainsi ? Pour l'amour de Dieu, renoncez à un chagrin aussi excessif ! Une dame de votre rang doit se contrôler. Pensez-vous que toute prouesse[3] soit morte avec votre mari ? Il y a bien par le monde cent chevaliers qui valent autant que lui !

45 – C'est un pur mensonge. Pourrais-tu m'en citer un seul ?

– Vous m'en voudriez trop. Ce serait encore colère et menaces.

1 **Chambrière** : femme de chambre.
2. **Judicieux** : raisonnable, sensé.
3. **Prouesse** : acte courageux, héroïque, par lequel le chevalier manifeste sa vaillance, sa valeur au combat.

– Je n'en ferai rien, je t'assure. Mais j'ai l'impression que tu me tends un piège...

– Je vais donc vous le dire, en espérant qu'il n'en sorte que du bien pour vous. Vous allez me trouver insolente, mais j'en prends le risque. À votre avis, quand deux chevaliers se sont affrontés dans un combat singulier, lequel est le meilleur ? Le vaincu ou le vainqueur ? Pour ma part, je donne le prix au vainqueur. Le chevalier qui a poursuivi votre mari jusque dans ce château devait donc être plus vaillant que lui.

– Voilà la pire folie que j'aie jamais entendue ! Fuis, fille écervelée et odieuse[1], et ne reviens plus devant moi pour dire de pareilles sottises.

– Je savais bien, ma dame, que mes propos ne vous plairaient pas. Mais vous n'avez pas tenu votre promesse de ne pas vous fâcher. Quant à moi, j'ai perdu une bonne occasion de me taire !

Elle retourna donc s'occuper d'Yvain, qui se morfondait[2] dans sa chambre, malheureux de ne pas voir la dame. Il ignorait tout de ce que la demoiselle était en train de machiner[3] pour lui.

La nuit arriva, mais la dame ne dormait pas : elle était en proie à de grands tourments. Elle se faisait beaucoup de souci pour la défense de sa fontaine, et elle commençait à regretter d'avoir blâmé et maltraité sa suivante. Elle était sûre en effet que Lunette n'avait agi que par affection pour elle ; c'était une amie loyale et fidèle, et elle ne lui aurait jamais donné un mauvais conseil. La jeune fille était intervenue dans son intérêt à elle, et elle avait eu tort de ne pas l'écouter.

1. **Odieuse** : détestable.
2. **Se morfondait** : était en proie à une grande tristesse.
3. **Machiner** : organiser en secret, manigancer.

« À mon seul désir », *La Dame à la Licorne,* tapisserie de laine et de soie réalisée entre 1484 et 1500, provenant du château de Boussac (Creuse), 3,7 x 4,7 m. Musée national du Moyen Âge, thermes de Cluny, Paris.

- Décris le décor de la scène.
  Quelle atmosphère ce décor dégage-t-il ?
- Repère et nomme les animaux représentés.
  À ton avis, que symbolise chacun d'entre eux ?

Voilà changé l'état d'esprit de la dame : celui qu'elle haïssait, elle l'imaginait maintenant comparaissant devant elle. Elle
75 l'accuserait d'abord : « Est-ce bien toi qui as tué mon époux ? » Il ne pourrait le nier : « Je vous l'accorde. » Et elle : « Et pour quelle raison ? L'as-tu fait par haine pour moi ? As-tu voulu me nuire ? » Il s'en défendrait : « Que je meure si j'ai voulu vous faire du mal ! » Elle pourrait conclure : « Tu n'as donc aucun
80 tort envers moi. Envers lui non plus, car il t'aurait tué s'il l'avait pu. » Elle était sûre d'avoir statué[1] en toute justice, selon le droit et la raison.

Au matin, l'esprit encore échauffé du débat de la nuit ➲, elle avait hâte de revoir sa suivante. Celle-ci, sans le savoir, avait
85 gagné sa cause. C'est alors que Lunette revint, pour recommencer son discours où elle l'avait laissé. Mais la dame était toute honteuse de l'avoir rudoyée[2] et injuriée. Elle eut l'intelligence de s'excuser :

– Pardonne-moi les paroles insultantes et blessantes que j'ai
90 eu la folie de te dire hier. Je suis prête à écouter tes avis. Dis-moi, si tu le sais, ce chevalier dont tu m'as parlé, quel homme est-il ? Quel est son lignage[3] ? S'il est d'un rang digne du mien, je l'épouserai et ferai de lui le seigneur de ma terre, mais à condition que personne ne sache qu'il a tué mon époux.

95 – Au nom de Dieu, ma dame, il en sera ainsi. Vous aurez le mari le plus noble, le plus généreux, le plus beau qu'on puisse rêver.

– Quel est son nom ?

– Monseigneur Yvain.

---

1. **Avoir statué** : avoir pris une décision.
2. **Rudoyée** : traitée avec dureté.
3. **Lignage** : ensemble des personnes issues d'une même famille.

➲ **Laudine hésite entre son désir de venger son mari et la nécessité de choisir un défenseur pour la fontaine. Cette hésitation suscite un débat intérieur.**

– Par ma foi, sa famille est d'une haute noblesse : c'est le fils du roi Urien.

– Sans aucun doute.

– Et quand pourrons-nous l'avoir ?

– D'ici cinq jours, je pense.

– C'est bien trop long ! Qu'il vienne ce soir ou demain !

– Ma foi, ma dame, il lui faudrait pour cela être un oiseau ! Laissez-moi le temps d'envoyer un messager à la cour d'Arthur pour qu'il le ramène. Vous l'aurez dans trois jours au plus tard. Entre-temps, convoquez vos barons et demandez-leur conseil au sujet du roi Arthur et de la fontaine. Pas un ne se proposera pour la défendre. Vous pourrez alors dire à bon droit que vous êtes obligée de vous marier, qu'un chevalier très renommé prétend à votre main, et que vous n'osez rien faire sans leur approbation[1]. Ils sont tellement lâches qu'ils se jetteront à vos pieds pour que vous acceptiez ce mariage !

– Par ma foi, ce projet correspond exactement à ce que j'envisageais. Dépêche-toi maintenant, ne tarde pas ! Arrange-toi pour retrouver ce chevalier !

Et Lunette fit semblant d'envoyer chercher Yvain à la cour. Pendant ce temps, elle prit soin de lui : chaque jour il prit un bain, sa tête fut lavée et peignée. Elle prépara pour lui une cotte[2] d'écarlate vermeille[3] toute neuve, fourrée de petit-gris[4]. Elle lui procura tout ce qui était nécessaire à son élégance : une broche d'or avec des pierres précieuses pour fermer son col, une belle

1. **Approbation** : accord.
2. **Cotte** : tunique portée par les hommes et les femmes.
3. **Écarlate** : au Moyen Âge, étoffe précieuse de laine fine, souvent teinte de couleurs vives. En français moderne, le mot désigne un rouge vif ; **vermeille** : rouge.
4. **Petit-gris** : fourrure d'un écureuil gris de Russie, très appréciée à l'époque.

ceinture ouvragée et une aumônière de brocart[1]. Elle fit alors annoncer à Laudine que le messager était arrivé.

– Et monseigneur Yvain ? Sera-t-il bientôt là ?

– Il est déjà ici.

– Qu'il entre donc vite, mais discrètement. Ne laisse personne d'autre pénétrer ici.

La demoiselle revint vers son hôte, mais elle eut soin de ne point laisser paraître sur son visage la joie qui l'habitait. Elle lui fit croire que sa dame avait découvert qu'il avait été hébergé au château.

– Ma dame a tout appris et m'a beaucoup blâmée. Elle m'a cependant garanti que je pouvais vous conduire à elle sans qu'on vous fasse du mal. Elle n'en veut pas à votre vie, mais elle désire vous retenir captif.

– Je l'accepte volontiers, car je veux être son prisonnier.

– Vous le serez, je puis vous l'assurer. Ne vous inquiétez pas cependant, la prison qui vous attend ne sera pas trop pénible.

La demoiselle l'inquiétait et le rassurait tout à la fois, en parlant à mots couverts de la prison où il serait mis. Il ne savait pas que c'était la prison de l'amour : aimer, c'est être captif.

Lunette emmena par la main monseigneur Yvain dans un lieu où il allait être fort apprécié. Mais lui craignait d'être mal accueilli, et avec quelques raisons. Ils trouvèrent la dame assise sur un lit recouvert d'une couverture vermeille. Elle ne disait pas un mot, et Yvain s'effraya, pensant être tombé dans un piège. Il resta debout, à l'écart, et finalement la demoiselle dut prendre la parole :

1. **Aumônière** : petit sac, souvent richement brodé, que l'on porte à la ceinture ; on y range des *aumônes* pour les pauvres.
Brocart : riche tissu de soie brodé de fils d'or ou d'argent.

– Que je sois mille fois maudite, pour avoir emmené devant une belle dame un chevalier qui reste paralysé et muet, incapable de l'aborder !

Elle le tira alors par le poignet :

155 – Avancez donc, chevalier, et n'ayez pas peur que ma dame vous morde ! Demandez-lui plutôt pardon et réconciliation, pour qu'elle accepte d'oublier la mort d'Esclador le Roux, qui fut son époux.

Aussitôt, monseigneur Yvain joignit les mains et se mit à 160 genoux ➲ devant la dame :

– Dame, j'implore de tout mon cœur votre grâce. Vous pouvez faire de moi ce que vous voudrez, je vous en serai reconnaissant.

– Et si je vous tue ?

– Dame, grand merci, c'est tout ce que vous m'entendrez dire.

165 – Voilà une réponse incroyable ! Vous vous mettez entièrement en mon pouvoir ?

– Oui, une force me pousse à me soumettre à votre volonté. Vous pouvez m'ordonner ce que vous voulez. Je ferai n'importe quoi pour réparer la mort que j'ai causée.

170 – Dites-moi donc – et vous serez quitte de toute réparation – si vous avez commis une faute envers moi en tuant mon mari.

– Dame, ayez pitié ! Quand votre époux m'a attaqué, ai-je eu tort de me défendre ? Si celui qui se défend tue son agresseur, dites-moi s'il est coupable !

175 – Pas du tout, en bonne justice. Je crois de plus qu'il ne servirait à rien de vous faire tuer. Je vous pardonne donc tous les

➲ *Joindre les mains, se mettre à genoux* devant quelqu'un sont des gestes de soumission, par lesquels on se met en son pouvoir. On retrouve ce geste aussi bien dans la relation du chrétien à Dieu que dans la relation du vassal au suzerain. Ces deux gestes sont importants dans la suite de l'histoire.

torts que vous avez pu avoir envers moi. Mais je voudrais bien savoir d'où vient cette force qui vous commande de consentir entièrement à mes volontés. Asseyez-vous, et racontez-moi d'où vous vient cette soumission[1].

– Dame, elle vient de mon cœur.

– Et comment ce cœur a-t-il été touché, cher ami ?

– Par l'image que mes yeux ont contemplée.

– Et qu'ont-ils contemplé, ces yeux ?

– Dame, ils ont contemplé votre beauté.

– Et la beauté, quel tort a-t-elle eu dans l'affaire ?

– Son seul tort a été de me faire aimer.

– Aimer, et qui ?

– Vous, ma chère dame !

– Vraiment, et de quelle manière ?

– D'un amour tel que je ne peux penser qu'à vous, que je me donne entièrement à vous, que pour vous je veux vivre et mourir !

– Et oseriez-vous entreprendre de défendre pour moi ma fontaine ?

– Assurément, et contre n'importe quel adversaire !

– Eh bien, sachez-le, la paix est faite entre nous.

C'est ainsi que leur accord fut conclu.

La dame avait auparavant réuni le conseil de ses barons. Elle mit Yvain au courant de ses projets :

– Rendons-nous dans la salle, où se trouvent mes hommes. Ils m'ont recommandé, à cause de la nécessité de défendre la fontaine, de prendre rapidement un mari. Je vous accepte donc

1. **Soumission** : attitude qui consiste à reconnaître le pouvoir de quelqu'un sur soi.

pour époux, car je ne dois pas refuser un vaillant défenseur, et,
205 qui plus est, un fils de roi.

La demoiselle voyait réalisés tous ses vœux et Yvain était comblé. La dame le conduisit dans la salle où les chevaliers furent saisis d'admiration devant la noble allure d'Yvain. Tous se levèrent pour lui faire honneur ; ils murmuraient entre eux :

210 – Voici celui que notre dame va prendre pour époux. Assurément c'est un bon choix, car il semble de haute naissance.

La dame donna la parole à son sénéchal, qui exposa la situation :

– Seigneurs, la guerre est à nos portes. Le roi Arthur va venir
215 sous peu dévaster nos terres. Le pays sera livré au pillage si nous ne trouvons pas un hardi défenseur. Il y a six ans, notre dame a choisi, sur votre conseil, Esclador le Roux. Il a gouverné le pays comme il convenait, mais maintenant le voici enterré. C'est grand dommage qu'il ait si peu vécu ; à présent, il faut
220 faire face. Une femme ne peut porter l'écu ni manier la lance, mais elle peut sauver la situation en prenant un bon époux. C'est ce dont nous avons besoin, si nous voulons maintenir la belle coutume de ce château ➲. Soyez donc de bon conseil !

Tous s'accordèrent à trouver ces paroles pleines de bon sens.
225 Ils la supplièrent donc à genoux. Elle n'avait pas besoin d'être suppliée, car c'était sa volonté à elle qui se réalisait ici ! Mais elle était assez intelligente pour paraître exaucer leur prière et accorder comme à regret ce qu'elle aurait fait de toute façon, même si on le lui avait interdit.

➲ **La « belle coutume de ce château » est l'obligation attachée à la fontaine. Celui qui va à la fontaine et verse l'eau sur le perron est obligé d'affronter le défenseur de la fontaine...**

230 – Seigneurs, puisque c'est votre bon plaisir, voici à côté de moi un chevalier qui m'a beaucoup sollicitée et recherchée en mariage. Il veut se mettre à mon service et je l'en remercie. Jamais encore je ne l'avais rencontré, mais sa réputation est grande. Sachez que c'est un homme de haute naissance : c'est le 235 fils du roi Urien. Il n'est pas seulement de haut lignage, c'est un chevalier vaillant et courtois. Il ne serait pas sage de le refuser : c'est monseigneur Yvain qui demande ma main.

– Vous avez sagement parlé, répondirent-ils. Il faut conclure ces noces aujourd'hui même.

240 Elle avait réussi à obtenir leur accord unanime[1] ; on la pressait de faire ce qu'elle aurait fait de toute façon, car son cœur l'y poussait. Mais elle voulait le faire avec l'approbation de tous, comme il convenait à une dame de haut rang.

On fit alors venir le chapelain[2], et Laudine prit pour époux 245 monseigneur Yvain, en présence de tous ses barons. C'est ainsi qu'il épousa la dame de Landuc, fille du duc de Laududet. Les noces furent célébrées le jour même, avec un luxe incroyable et dans l'allégresse générale.

Voici monseigneur Yvain maître du château. Le mort était 250 oublié, et son meurtrier avait épousé sa femme. Tout le monde était ravi de ce nouveau seigneur, auquel ils trouvaient toutes les qualités. Les festivités durèrent jusqu'à la fête de la Saint-Jean, jour où l'on attendait la venue du roi Arthur.

1. **Leur accord unanime** : l'accord de tous sans exception.
2. **Chapelain** : religieux attaché au service de la *chapelle*, dans un château.

LECTURE ACTIVE 3

→ Voir aussi étape 3, p. 148.

Chapitre 4 • Yvain et la dame du château

As-tu bien lu ?

1 Dans quel lieu l'action de ce chapitre se déroule-t-elle ?
☐ à la cour du roi Arthur
☐ près de la fontaine merveilleuse
☐ dans le château de Laudine

2 Vrai ou faux ? Coche la bonne réponse.

	Vrai	Faux
a. Laudine est l'épouse d'Esclador le Roux.	☐	☐
b. Lunette est sa suivante et sa confidente.	☐	☐
c. Lunette dit du mal d'Yvain à sa maîtresse.	☐	☐
d. Yvain n'ose pas avouer son amour à Laudine.	☐	☐
e. Laudine réussit à convaincre ses barons de la nécessité de son mariage avec Yvain.	☐	☐

3 En quoi l'accord passé entre Yvain et Laudine consiste-t-il ?

Atelier

Jouer une scène d'amour courtois

▸ ***Objectif.*** Jouer la scène du serment amoureux entre Yvain et Laudine.

▸ ***Préparation.*** Par groupe de trois, relire la fin du dialogue entre Yvain et Laudine (p. 52, l. 181-197). Au sein de chaque groupe, se répartir les rôles : Yvain, Laudine, le metteur en scène. Chaque personnage ayant appris son rôle, répéter la scène sous la direction du metteur en scène. Travailler les postures, les gestes, les intonations en essayant de rester fidèle à l'esprit de l'amour courtois.

▸ ***Réalisation.*** Mettre en place des éléments de décor dont dispose la classe (une chaise peut suffire), puis jouer la scène devant la classe.

▸ ***Réfléchir ensemble.*** Quel groupe a été le plus convaincant ? Pour quelles raisons ?

5
Arthur au château de Laudine

Pendant ce temps, le roi Arthur s'était mis en route pour venir voir le prodige de la fontaine et de la tempête. Il avait quitté Carduel escorté de ses chevaliers, qui souhaitaient tous prendre part à l'aventure. Keu, le sénéchal, ne put tenir sa mauvaise langue :

5 – Je ne vois pas monseigneur Yvain parmi nous. Qu'est-il donc devenu ? N'est-ce pas lui qui s'était vanté de venger son cousin Calogrenant ? Je crois que le bon vin du repas y était pour beaucoup ! S'il avait réussi, nous l'aurions bien su, mais son absence parle pour lui. Il s'est enfui, je pense, pour ne pas
10 affronter l'épreuve.

Le noble et généreux Gauvain ne pouvait laisser passer ces paroles :

– Vous feriez mieux de vous taire, Keu. Si monseigneur Yvain n'est pas avec nous, c'est qu'il a dû avoir un empêchement. Arrê-
15 tez ces propos insultants.

Arrivé à la fontaine, le roi, qui voulait voir la tempête, versa sur le perron l'eau puisée dans le bassin d'or. Aussitôt les éléments se déchaînèrent, et monseigneur Yvain ➲ ne tarda pas à arriver, revêtu de son armure ➲. Monté sur son cheval fou-
20 gueux, il se précipita pour défendre la fontaine.

➲ **Yvain est à présent le gardien de la fontaine puisqu'il est l'époux de Laudine.**

➲ **L'armure protège complètement le corps du chevalier, et le heaume lui masque le visage. Yvain ne peut donc être identifié.**

Aussitôt, avant tous les autres, Keu demanda au roi l'autorisation de combattre. Comme toujours, il voulait être le premier, quoi qu'il arrive, à affronter l'adversaire. Le roi le lui accorda et le sénéchal enfourcha son cheval. Yvain l'avait parfaitement reconnu à ses armoiries, et il était ravi à l'idée de lui donner une bonne leçon. Ils se ruèrent donc l'un contre l'autre au galop

Combat d'Yvain et du sénéchal Keu *(haut)*. Yvain menant le cheval de Keu devant Arthur *(bas)*. Extrait d'*Yvain, le Chevalier au lion*, de Chrétien de Troyes, XIVe siècle.

Les armoiries sont les emblèmes du chevalier. Elles sont représentées sur la bannière qui orne sa lance et sont peintes sur son écu. C'est donc un moyen d'identifier son adversaire dont le visage est couvert par le heaume.

de leurs destriers. Les lances furent fracassées, mais le coup d'Yvain avait été plus puissant. Keu, désarçonné, fit la culbute et tomba piteusement à terre. Bien des spectateurs ne purent se retenir de sourire, car tous avaient été victimes de ses sarcasmes.

Monseigneur Yvain ne voulait pas lui faire de mal. Il mit pied à terre et alla prendre le cheval de Keu pour l'amener au roi.

– Seigneur, je vous rends ce cheval. Il n'est pas question que je m'empare de ce qui vous appartient.

– Et qui êtes-vous ? Je suis incapable de vous reconnaître. Dites-moi votre nom ou découvrez votre visage !

– C'est moi, Yvain, votre fidèle chevalier.

Keu était effondré, et honteux d'avoir prétendu qu'Yvain s'était enfui. Mais les autres étaient ravis : ils n'étaient pas fâchés de la déconvenue du sénéchal, et surtout ils se réjouissaient de retrouver Yvain. Gauvain tout particulièrement, car c'était le compagnon d'aventure qu'il préférait. Quant au roi, il lui demanda de lui raconter tout ce qui lui était arrivé. Yvain leur rapporta point par point ses aventures, et comment la demoiselle lui avait sauvé la vie. Après cela, il invita le roi et tous ses chevaliers à séjourner dans sa demeure. Ce serait pour lui un grand honneur ! Le roi accepta de rester huit jours entiers. Ils montèrent à cheval et se dirigèrent vers le château. Yvain avait envoyé un écuyer pour prévenir Laudine de la venue du roi. La dame, tout heureuse, pria ses chevaliers d'aller à la rencontre du roi de Bretagne. Ils le saluèrent avec beaucoup de considération, manifestant leur joie de le recevoir.

À l'arrivée du roi, le château était en liesse[1] ; on avait sorti des tapis pour couvrir le sol des rues, et de riches soieries pour orner les murs des maisons. La ville retentissait du son des cors

1. **Liesse** : joie débordante et collective.

et des clairons ; les jeunes filles chantaient, accompagnées de flûtes, de tambourins et de cymbales, pour fêter le roi Arthur.

La dame de Landuc parut alors, vêtue d'une robe d'hermine[1] digne d'une impératrice. Un diadème[2] de rubis ornait ses magni-
60 fiques cheveux blonds. Elle était belle comme une déesse. Souriante, elle s'approcha gracieusement du roi pour l'aider à descendre de cheval en lui tenant l'étrier, afin de lui faire honneur :

– Soyez le bienvenu, seigneur roi, et vous aussi, monseigneur Gauvain. Béni soit le jour qui vous amène en ces lieux !

65 Le roi la salua tout aussi aimablement, et la prit galamment par la taille, en homme courtois. Tous furent accueillis de façon joyeuse, chacun s'efforçant de leur être agréable.

Au milieu de cette allégresse, deux personnes eurent un plaisir particulier à se rencontrer. Ce fut une rencontre entre la
70 Lune et le Soleil ! Gauvain n'était-il pas appelé « le soleil de la chevalerie », pareil à l'astre d'or qui illumine le monde chaque matin de ses rayons ? Quant à Lunette, comme l'astre des nuits dont elle portait le nom ➲, elle était incomparable de fidélité et de dévouement.

75 C'était une ravissante brunette, de noble naissance, dont la sagesse et l'habileté s'alliaient à un caractère enjoué[3]. Gauvain fut fort heureux de la connaître, car elle avait sauvé la vie de son meilleur ami. Elle lui raconta donc en détail tous ses efforts pour convaincre sa dame d'épouser Yvain, et comment elle
80 l'avait sorti des mains de ceux qui le cherchaient, en lui donnant l'anneau : il était parmi eux et ils ne le voyaient pas ! Monseigneur Gauvain s'amusa beaucoup à ce récit :

1. **Hermine** : fourrure blanche précieuse.
2. **Diadème** : bijou en forme de couronne.
3. **Enjoué** : gai, aimable.

➲ **Il faut se souvenir que *Lunette* signifie « petite lune ».**

– Demoiselle, sachez que je suis à vous en cas de besoin, et même si vous n'avez pas besoin de moi ! Je suis vôtre, soyez
85 dorénavant ma demoiselle !

– J'accepte avec reconnaissance, même si je ne souhaite pas être dans une telle détresse que j'aie besoin de votre aide.

La fête fut magnifique. Il y avait bien soixante dames, toutes belles, nobles et élégantes : elles étaient là pour se divertir en com-
90 pagnie des chevaliers, qui s'asseyaient avec elles pour bavarder et les courtiser. Quelle fête pour monseigneur Yvain, de pouvoir ainsi recevoir le roi ! Laudine était à ses côtés et s'empressait auprès de ses hôtes de manière exquise. La semaine se passa dans ces diver- tissements. Les bois et les rivières permettaient de chasser, et Yvain
95 avait plaisir à montrer, à tous, les vastes domaines de son épouse.

Durant cette semaine, tous les chevaliers, sans exception, avaient multiplié leurs efforts et leurs prières pour pouvoir emmener Yvain avec eux. Monseigneur Gauvain se montrait particulièrement insistant :

100 – Comment, seigneur Yvain, seriez-vous à présent de ces cheva- liers qui, à cause de leurs femmes, ne s'intéressent plus aux com- bats ? Malheur à celui dont le mariage amoindrit la valeur ! Celui qui a pour épouse une belle dame doit au contraire chercher à faire grandir son prestige. Si sa renommée décline, l'amour qu'on lui
105 porte en fera autant. Une femme a vite fait de retirer sa faveur à un homme, si celui-ci la déçoit. Allons, il faut que votre gloire grandisse !

Nous partirons ensemble courir les tournois, pour qu'on ne prétende pas que vous êtes un mari jaloux. Il ne faut pas rester dans son château à rêvasser, mais sortir de chez soi et participer
110 à des joutes[1], quoi qu'il en coûte. Je ne voudrais pas que notre

1. **Joutes** : combats à la lance et à cheval durant lesquels le chevalier peut faire preuve de bravoure et accroître sa renommée.

compagnonnage ait à souffrir de votre nouvel état. Vous verrez, la joie d'amour ne sera que plus douce, quand vous reviendrez chez vous après de rudes combats : on goûte encore mieux un plaisir dont on a été privé. Si vous vous habituez maintenant au confort du bonheur conjugal, vous ne pourrez plus vous en passer, et vous serez perdu pour la vie aventureuse. Notez que je sais bien qu'il est facile de donner d'excellents conseils à autrui... j'aurais moi-même le cœur déchiré, si je devais quitter une aussi belle dame !

Gauvain fit tant et si bien par ses discours et ses prières qu'Yvain promit d'en parler à sa femme, et de partir avec ses compagnons, si elle le permettait. Il était bien résolu à retourner en Bretagne. Il alla donc la trouver.

– Ma très chère dame, vous qui êtes mon cœur et mon âme, ma vie et mon bonheur, accordez-moi un don, je vous en prie !

Elle le lui promit aussitôt, sans savoir ce qu'il voulait demander :

– Cher époux, vous pouvez exiger de moi ce qu'il vous plaira.

Monseigneur Yvain, sur-le-champ, lui demanda la permission d'accompagner le roi et d'aller participer aux tournois[1], pour ne pas passer pour un lâche.

– Je vous accorde ce congé[2], mais pour un temps limité. Prenez garde, si ce délai devait être dépassé, l'amour que j'ai pour vous se transformerait en haine, soyez-en sûr. Sachez que je n'ai qu'une parole : si vous trahissez votre promesse, moi je tiendrai la mienne. Pensez à revenir dans un an jour pour jour, huit jours après la fête de Saint-Jean.

1. **Tournois** : combats courtois où plusieurs chevaliers s'affrontent deux à deux.
2. **Congé** : autorisation de partir.

– Ma très chère dame, dit Yvain bouleversé, cette date est beaucoup trop éloignée ! Je compte bien être de retour avant, si 140 Dieu le veut. Mais je ne peux pas être sûr de ce qui m'arrivera : si je suis malade, blessé ou prisonnier, il me sera impossible de respecter le délai fixé !

– Seigneur, je ferai donc une exception. Tant que vous penserez à moi, nul danger ne vous atteindra. Mettez à votre doigt 145 cet anneau qui m'appartient. La pierre qui y est incrustée a des pouvoirs prodigieux : sous sa protection, un amoureux fidèle et loyal ne peut subir aucun dommage. Ni prison ni blessure ne le menacera, tant qu'il se souviendra de son amie. Cet anneau vous garantira mieux qu'un écu ou un haubert. Je n'ai jamais 150 voulu le prêter à personne, mais à vous je le confie par amour.

Voici donc monseigneur Yvain libre de partir. Bien des larmes furent versées au moment des adieux. Mais le roi Arthur était impatient de s'en aller, et l'on amena les palefrois équipés pour le voyage. Il fallait se séparer, et Yvain dut s'arracher aux larmes 155 et aux baisers de Laudine. La dame, après l'avoir accompagné un moment, revint au château. Elle gardait avec elle le cœur d'Yvain, mais lui, d'autres pensées n'allaient-elles pas bientôt le distraire ? Il allait retrouver avec ses compagnons la vie aventureuse des tournois !

160 Et je peux déjà vous dire qu'Yvain va s'y donner pleinement : son temps sera bien occupé, car monseigneur Gauvain ne permettra pas qu'il le quitte. J'ai bien peur qu'Yvain ne respecte pas le délai fixé par sa dame. S'il le dépasse d'un seul jour, il le payera très cher : il ne retrouvera sans doute jamais son amour.

Le narrateur intervient ici pour annoncer la suite de l'histoire. Cela ne nuit pas au plaisir du lecteur ou de l'auditeur, car Yvain devra se racheter, ce qui est donc la promesse de nombreuses aventures.

6
La folie d'Yvain

Toute l'année passa ainsi. Yvain s'illustra par de grandes prouesses en compagnie de Gauvain. Celui-ci le fit si bien s'attarder dans les joutes et les tournois, qu'un an entier s'écoula, et que l'on parvint au 15 août, date où le roi Arthur devait réunir sa cour à Chester ➋. La veille, monseigneur Yvain avait remporté le premier prix dans un tournoi réputé. Les deux compagnons avaient fait dresser leur pavillon[1] en dehors de la ville, pour y inviter leurs amis. Le roi leur fit l'honneur de les rejoindre et s'assit parmi eux.

Soudain, Yvain devint tout pensif. Depuis qu'il avait quitté sa dame, il n'avait pas pris le temps de s'absorber ainsi dans ses pensées. Des larmes lui montèrent aux yeux, lorsqu'il se rendit compte qu'il avait violé sa promesse. La date fixée pour son retour était largement dépassée.

Il était là, perdu dans ses pensées, quand il vit venir droit vers la tente une demoiselle inconnue, montée sur un palefroi noir. Elle s'avança rapidement, et mit pied à terre devant eux, en laissant tomber son manteau. Elle entra dans la tente et se dirigea vers le roi. Elle salua de la part de sa dame le roi, monseigneur Gauvain et tous les autres chevaliers. Tous sauf Yvain.

1. **Pavillon** : grande tente utilisée par les chevaliers lorsqu'ils se déplaçaient, pour les tournois ou pour la guerre.

➋ **Au Moyen Âge, les rois se déplacent beaucoup et réunissent leur cour dans diverses résidences. Arthur a quitté Carduel pour Chester, une ville située aujourd'hui dans le nord-ouest de l'Angleterre.**

– Ma dame ne salue pas Yvain, le traître, l'homme menteur et perfide qui s'est moqué d'elle. Il a séduit son cœur, et elle le lui a donné sans réserve. Mais sa confiance a été trompée, car ce n'était pas un amant loyal. Elle a bien découvert sa perfidie : 25 il n'a pas tenu sa promesse, et elle n'a plus aucune confiance en lui.

» Yvain, tu as bien perdu la mémoire : tu as oublié que tu devais revenir auprès de ma dame au bout d'un an. Elle t'avait fixé la date de la Saint-Jean, et pendant ton absence, elle avait fait 30 peindre aux murs de sa chambre un calendrier pour mesurer le temps qui la séparait de ton retour. C'est ainsi que se conduisent les vrais amants : ils ne cessent de compter et d'additionner les jours, les mois et les saisons. Mais tu nous as tous trahis en l'abandonnant.

35 » Yvain, tu n'es plus rien pour ma dame. Elle te fait dire que tu ne dois plus jamais te présenter devant elle, et que tu dois rendre l'anneau qu'elle t'a donné. C'est moi, ici présente, qui suis chargée de te le reprendre. Rends-le-moi, il le faut.

Yvain ne pouvait répondre. L'esprit, les mots lui manquaient. 40 La demoiselle s'élança vers lui et arracha l'anneau de son doigt. Elle remonta sur son cheval et partit aussitôt, le laissant dans un grand tourment. Et ce tourment ne cessait de croître : tout ce qu'il voyait ou entendait lui était insupportable. Il ne songeait qu'à prendre la fuite, tout seul, dans un lieu si désert que per- 45 sonne ne saurait rien de lui. Quelle aide attendre des autres ? À qui se plaindre de lui-même, qui avait causé sa propre mort ? Il éprouvait tant de haine contre lui qu'il aurait voulu disparaître de la surface de la terre.

Il quitta l'assemblée des barons, et s'éloigna des tentes. Là, 50 une tourmente se leva dans sa tête, si puissante qu'il perdit la raison. Il arracha ses vêtements et se mit à fuir, tout nu, comme un homme sauvage, à travers les champs et les vallées.

Ses compagnons ignoraient ce qu'il était devenu, et le cherchèrent partout, dans les maisons, derrière les haies et dans les vergers, mais il avait disparu. Dans sa fuite, il rencontra un valet[1] qui portait un arc et cinq flèches bien aiguisées. Il s'en saisit, mais il ne parvint pas à se souvenir comment on s'en servait pour chasser : il avait perdu la mémoire.

Dans la forêt, Yvain guettait les animaux. Il les tuait et mangeait la venaison[2] toute crue. La folie avait fait de lui un homme sauvage : le corps nu, hirsute, il parcourait les bois, ayant tout oublié de la vie de l'homme.

Il demeura longtemps dans la forêt, comme une brute privée de raison, quand il arriva un beau jour devant la petite maison d'un ermite[3], qui était en train de défricher. Quand celui-ci vit s'approcher cet être tout nu, il comprit bien qu'il avait affaire à un fou. Saisi de peur, il courut s'enfermer dans sa maisonnette. Cependant, pris de pitié pour cette créature étrange, le saint homme prit du pain et une cruche d'eau pure et les posa prudemment à l'extérieur de la maison, sur le rebord d'une fenêtre. Et l'autre, affamé, se jeta sur le pain dans lequel il mordit avidement. Jamais il n'avait goûté un pain aussi amer et aussi dur. C'était un mélange grossier d'orge et de paille et, avec cela, moisi et sec. Mais sa faim était telle qu'Yvain le dévora et le trouva délicieux. Puis il but l'eau bien fraîche et se lança à nouveau dans le bois, à la recherche des cerfs et des biches.

1. **Valet** : jeune homme (mais pas nécessairement un serviteur).
2. **Venaison** : chair comestible du gros gibier (chevreuil, biche, sanglier, etc.).
3. **Ermite** : personne vivant à l'écart du monde ; souvent un religieux qui s'en est retiré pour prier.

Le saint homme le craignait beaucoup. Le voyant partir, il pria le Ciel de le protéger et d'écarter l'homme sauvage de sa maison. Mais toute créature, même privée de raison, retourne volontiers
80 à l'endroit où l'on a été bon pour elle. Aussi longtemps que dura sa folie, Yvain revint tous les jours chez l'ermite, pour déposer devant sa porte le produit de sa chasse. Voilà la vie qu'il menait. L'ermite écorchait la bête et faisait cuire la viande. Il mettait la nourriture, avec le pain et la cruche d'eau, sur le rebord de la
85 fenêtre. Le fou pouvait ainsi se rassasier, mangeant la venaison sans sel ni poivre et buvant l'eau claire de la fontaine. Le saint homme se donnait de la peine pour vendre les peaux au marché et acheter ainsi du pain. Yvain fut donc nourri de pain et de venaison pendant toute cette période.

90 Cette vie dura jusqu'au jour où deux demoiselles, se promenant dans la forêt avec leur dame, le trouvèrent endormi. L'une des trois se dirigea vers l'homme nu. Mettant pied à terre, elle l'observa longuement, cherchant un indice qui lui permît de l'identifier. Elle n'avait pas reconnu Yvain, car il n'avait plus rien
95 à voir avec le beau chevalier aux magnifiques vêtements qu'elle connaissait. Mais en l'examinant avec attention, elle aperçut une cicatrice au visage qui lui rappela Yvain. C'était lui, sans aucun doute ; mais comment pouvait-il être dans cet état, pauvre et nu ? Elle revint auprès des autres et, toute bouleversée, elle leur
100 raconta en pleurant ce qu'elle avait découvert :

– Ma dame, j'ai trouvé monseigneur Yvain, le chevalier le plus renommé du monde ! Mais par quel malheur a-t-il pu en arriver là ? On voit bien qu'il n'a pas toute sa raison, pour s'être ainsi dépouillé de ses vêtements ! Peut-être un grand chagrin l'a-t-il
105 rendu fou ? Si seulement Dieu pouvait lui rendre ses esprits, il accepterait peut-être de nous venir en aide. Il nous serait d'un

grand secours contre le comte Alier, qui vous fait la guerre et menace vos terres.

La dame lui répondit :

110 – Sois sans crainte ! Je crois qu'avec l'aide de Dieu je pourrai le guérir de cette folie qui lui trouble la tête. Ne tardons pas ! Je me souviens d'un onguent[1] que me donna jadis la fée Morgane ➲, en me disant qu'aucune démence ne saurait lui résister.

Laissant là Yvain endormi, elles rentrèrent au château de 115 Noroison, qui était tout proche. La dame ouvrit un coffret où se trouvait une petite boîte. Elle la confia à sa suivante en lui disant d'en user avec mesure. Qu'elle l'applique seulement sur le front et les tempes, car c'est dans le cerveau que loge la folie. Elle lui confia un riche habit fourré de petit-gris, composé d'une cotte 120 et d'un manteau de soie vermeille.

La demoiselle prit les vêtements et emmena par la main droite un très bon palefroi. Elle ajouta à cela tout le nécessaire : chemise, braies de fine étoffe et chausses ➲. Arrivée sur place, elle attacha les chevaux et se dirigea vers le fou endormi. Là, 125 elle prit l'onguent et, oubliant la recommandation de sa dame, elle se mit à l'enduire complètement, tant elle désirait qu'il fût parfaitement guéri. Elle lui frotta les tempes et le visage, mais aussi tout le corps jusqu'aux orteils. Elle mit tant d'ardeur à le frictionner, que la folie sortit du cerveau d'Yvain. Le voyant près 130 de s'éveiller, elle courut se cacher, mais elle laissa à côté de lui

1. **Onguent** : sorte de pommade destinée à soigner.

➲ **Dans les récits arthuriens, Morgane est une fée puissante qui utilise ses pouvoirs de façon tantôt bénéfique, tantôt maléfique.**

➲ **Au Moyen Âge, tout le monde, les hommes comme les femmes, porte une *chemise* sous une *cotte* (tunique plus ou moins longue). Les hommes portent en plus des *braies* (pantalons larges allant jusqu'aux genoux) et des *chausses* (sortes de chaussettes montant au-dessus du genou).**

les habits qu'elle avait apportés. Elle se posta derrière un chêne pour l'observer.

Yvain s'éveilla. Il avait retrouvé la raison, mais il ignorait où il était ; à sa grande honte, il se rendit compte qu'il était nu. Regar-
135 dant autour de lui, il aperçut les vêtements. Comment étaient-ils là ? Comment lui-même se trouvait-il en ce lieu ? Il était abasourdi[1] et inquiet. Quel déshonneur pour lui, si quelqu'un le voyait dans cet état ! Il s'habilla sans tarder et s'efforça de se lever. Mais il n'avait pas la force de marcher, tellement il était
140 affaibli par les privations de la vie sauvage. Où trouver du secours dans ce bois ?

La demoiselle jugea qu'il était temps d'intervenir. Elle monta à cheval et passa sur le chemin, comme si elle avait été en promenade. Il appela à l'aide et elle fit semblant de chercher d'où
145 venaient ces cris. Il dut renouveler ses appels :

– Demoiselle, par ici, par ici !

La jeune fille dirigea son palefroi dans cette direction. Elle voulait lui faire croire qu'elle ne savait rien de lui et ne l'avait jamais vu. C'était agir avec beaucoup de délicatesse.

150 – Seigneur chevalier, que voulez-vous ? Avez-vous besoin de mon aide ?

– Ah, sage demoiselle, je ne sais comment et par quelle malchance je me suis retrouvé dans ce bois. Pour l'amour de Dieu, prêtez-moi votre palefroi.

155 – Volontiers, seigneur, mais accompagnez-moi là où je vais.

– Où donc ?

– Hors de cette forêt, dans un château qui est tout proche.

– Dites-moi, demoiselle, cherchiez-vous de l'aide ?

1. **Abasourdi** : étonné, stupéfait.

– Oui, mais je crois que pour l'instant c'est vous qui en avez
160 besoin : vous n'êtes pas du tout en bonne santé. Il faudra bien vous reposer une quinzaine de jours. Prenez ce cheval que je mène de la main droite, et nous irons jusqu'à ce château.

Yvain ne demandait pas mieux. Ils s'en allèrent tous deux et arrivèrent à un pont sous lequel coulait une eau tourbillonnante
165 et rapide. La demoiselle y lança la boîte d'onguent vide. Elle pensa qu'elle s'excuserait ainsi auprès de sa dame : en passant le pont, son cheval avait trébuché et la boîte lui avait échappé des mains.

Ils arrivèrent au château de Noroison, où la dame accueillit
170 très aimablement Yvain. Elle fut bien mécontente, en revanche, quand sa suivante lui raconta son mensonge au sujet de l'onguent. C'était une grande perte pour elle. Elle donna cependant l'ordre de bien s'occuper d'Yvain.

Les demoiselles firent de leur mieux pour soigner le chevalier :
175 elles lui donnèrent des bains, lui lavèrent la tête, le rasèrent et lui coupèrent les cheveux. Il en avait bien besoin, car cheveux et barbe étaient si longs qu'ils lui cachaient le visage. Il se reposa, mangea et but pour reprendre des forces. Tout ce qu'il désirait lui était accordé. Armes et chevaux furent également mis à sa
180 disposition.

Il demeura ainsi chez la dame de Noroison jusqu'à un mardi où le comte Alier survint avec ses hommes pour incendier et piller. Les chevaliers du château s'armèrent pour riposter. Monseigneur Yvain était parmi eux ; il avait retrouvé sa vigueur
185 et se comportait vaillamment. Se couvrant de son écu, il éperonna son destrier et abattit quatre assaillants à la suite. Ceux qui l'accompagnaient sentirent leur hardiesse décupler à le voir combattre ainsi.

La mêlée était rude, et la dame était montée à sa tour pour
190 voir l'affrontement. Il y avait des morts et des blessés parmi les siens, mais plus encore parmi ses ennemis. Monseigneur Yvain combattait en chevalier courtois[1], car il préférait amener ses adversaires à se rendre plutôt que de les tuer. Tous ceux du château étaient remplis d'admiration :

195 – Quel vaillant guerrier ! Comme il fait plier ses ennemis ! Il les attaque rudement, comme le lion affamé au milieu d'un troupeau de daims ! Et tous nos chevaliers, comme les voilà intrépides[2] à son exemple ! C'est un vrai bienfait de l'avoir parmi nous car, sans sa présence, nos hommes n'auraient osé
200 affronter l'ennemi. Voyez comme il se bat avec son épée ! Le preux[3] Roland, avec Durandal, n'aurait pas fait mieux.

Ils le couvraient d'éloges, et commençaient à retrouver l'espoir : avec un tel défenseur, le comte Alier pouvait être mis en déroute. Ils ajoutaient aussi que leur dame aurait bien de la
205 chance si elle parvenait à garder auprès d'elle un tel chevalier. Il avait gagné leurs cœurs et ils auraient bien voulu l'avoir pour seigneur.

Les assaillants, désemparés devant la vigueur de la défense, prirent la fuite. Monseigneur Yvain les poursuivit, avec tous
210 ses compagnons, enhardis par sa présence. À la fin les fuyards, épuisés, faiblirent et furent taillés en pièces. Le comte Alier voulut se réfugier dans une forteresse des environs, mais Yvain le

1. **Courtois** : respectueux des codes de la chevalerie.
2. **Intrépides** : audacieux, braves.
3. **Preux** : vaillant, brave. Le mot appartient à la langue de la chevalerie.

Cet animal vient spontanément à l'esprit des gens du Moyen Âge comme un modèle de courage et de force.

Roland, neveu de Charlemagne, est mort au combat à Roncevaux, en 778, face aux Sarrasins. *La Chanson de Roland* raconte qu'il avait baptisé son épée Durandal.

rejoignit tout près de l'entrée et s'empara de lui. Il exigea sa reddition : il viendrait se constituer prisonnier devant la dame de Noroison, et ferait la paix avec elle à ses conditions. Quand il eut obtenu son serment, il lui fit rendre son heaume, son écu et son épée.

La nouvelle était déjà parvenue au château, et vous pouvez imaginer l'accueil que l'on fit aux deux hommes. Yvain remit son prisonnier à la dame de Noroison. Le comte Alier jura qu'il ne lui ferait plus jamais la guerre et qu'il la dédommagerait de ses pertes en faisant reconstruire tout ce qui avait été ravagé.

Quand toutes ces questions furent réglées, Yvain demanda son congé à la dame. Elle l'aurait volontiers gardé pour faire de lui son époux et le seigneur de tous ses biens, mais il voulait repartir sans attendre. Il laissait la dame sauvée, mais plongée dans l'affliction[1] à cause de son départ.

1. **Affliction** : tristesse.

7
Le lion

Monseigneur Yvain cheminait, plongé dans ses pensées, à travers une sombre forêt. Soudain il entendit, venant du plus profond des fourrés, un cri de douleur perçant. Il se dirigea aussitôt vers l'endroit d'où venait ce cri, et là il vit, dans une clairière, un lion aux prises avec un serpent, qui lui mordait la queue, lui brûlant tout le dos de ses flammes ardentes.

Yvain ne s'attarda pas à regarder ce spectacle extraordinaire. Laquelle des deux bêtes fallait-il aider ? Le lion, évidemment, car c'est un animal noble et généreux, alors que le serpent est malfaisant et perfide. Cette perfidie se voit au feu qu'il crache par la gueule. Yvain décida donc d'affronter ce dernier pour le tuer. Il tira l'épée et leva son écu pour protéger son visage des flammes, que la bête immonde jetait par sa gueule largement ouverte. Pour le moment, l'essentiel était de vaincre le serpent, il verrait bien ensuite si le lion s'attaquait à lui. Il brandit son épée étincelante et se lança à l'assaut de l'animal maléfique. Il le trancha en deux jusqu'à terre, puis le découpa en tronçons. Mais pour délivrer le lion, il fut bien obligé de couper un morceau de sa queue, que le cruel serpent avait englouti dans sa gueule. Qu'allait faire maintenant le lion ? Aurait-il à se défendre contre lui ?

Ce serpent qui crache des flammes fait penser à un dragon.

Dans la Bible, le Diable apparaît sous l'aspect d'un serpent, d'où la mauvaise réputation de cet animal.

Écoutez bien ce que fit alors le lion : il se comporta comme une créature noble et généreuse. Il s'agenouilla devant son sauveur, tendant ses deux pattes jointes, comme le fait un vassal devant son seigneur ➲. Il se tenait debout sur ses pattes arrière et sur sa face coulaient des larmes de reconnaissance. Il remerciait ainsi humblement celui qui l'avait délivré d'un péril mortel.

Quelle belle aventure pour monseigneur Yvain ! Il essuya sur l'herbe son épée, toute souillée du venin du serpent, puis la remit dans son fourreau et reprit sa route. Le lion cheminait à ses côtés. Il était devenu son compagnon, et ne souhaitait qu'une chose, le protéger et le servir toute sa vie.

Il allait en tête, ouvrant le chemin, jusqu'au moment où il flaira une odeur que lui apportait le vent : des animaux étaient en train de paître non loin de là. Il avait faim, et sa nature de bête sauvage l'incitait à partir en chasse, mais il s'arrêta pour regarder son seigneur. Yvain comprit que le lion attendait sa permission. Il ne prendrait le gibier qu'il avait flairé que si son maître le souhaitait. Il l'encouragea donc par ses cris, comme il l'aurait fait pour un chien de chasse. Le lion mit aussitôt le nez au vent et, en quelques bonds, il eut rejoint un chevreuil qui broutait dans une vallée. Il l'attaqua, but le sang tout chaud qui coulait de sa plaie, puis l'apporta aux pieds de son maître.

Le soir tombait et Yvain décida d'établir son campement pour la nuit. Il fallait dépouiller le chevreuil pour en découper ce qu'il voudrait manger. Il lui fendit donc la peau sur les côtes et tailla un morceau de filet. À l'aide d'un silex et de quelques branches sèches, il alluma un feu, sur lequel il mit son morceau de viande à rôtir. Ce fut un repas sans grande saveur : ni pain

➲ **Yvain s'était également agenouillé devant Laudine (voir p. 51).**

ni sel, ni nappe ni couteau, rien de ce qui rend la vie confortable. Tout le temps où il mangea, le lion le suivit des yeux sans faire un mouvement. Il resta couché devant son maître jusqu'au moment où celui-ci fut rassasié. Alors il dévora tout le reste du chevreuil, sans rien laisser, jusqu'aux os. Yvain passa la nuit allongé sur le sol, la tête reposant sur son écu, sous la garde du lion qu'il tenait maintenant pour son ami.

Ils repartirent ensemble au matin, et ils menèrent cette vie commune pendant une quinzaine de jours. Mais voici qu'un beau jour le hasard les conduisit à la fontaine sous le pin. Yvain la reconnut et faillit perdre la raison une seconde fois, quand il s'approcha du perron et de la chapelle. Une telle douleur lui frappa le cœur qu'il tomba évanoui. Son épée glissa du fourreau, et sa pointe vint rompre les mailles de son haubert près du cou, faisant couler le sang.

Le lion crut que son ami et seigneur était mort. Jamais on ne vit une douleur si grande : il se tordait de désespoir et rugissait, grattant le sol de ses griffes. Il voulut se tuer avec l'épée qui, pensait-il, avait tué son maître. Avec ses crocs, il la tira et la cala contre un tronc d'arbre. Bien décidé à mourir, il allait se précipiter sur elle comme un sanglier furieux, quand Yvain reprit connaissance ; l'animal retint alors son élan.

Monseigneur Yvain, revenant à lui, fut saisi de désespoir. Il s'adressait d'amers reproches pour avoir manqué à sa parole envers sa dame :

– Qu'est-ce que j'attends pour me tuer, moi qui ai détruit de mes propres mains tout ce qui faisait le bonheur de ma vie ? Comment puis-je rester ici, misérable, à contempler cette fontaine, ce perron, qui appartiennent à ma dame ? J'ai connu la

plus grande joie qu'un homme puisse trouver sur terre, et je l'ai
80 perdue par ma faute. J'ai bien raison de me haïr moi-même !
Mourir serait moins douloureux que souffrir ce martyre. Pourquoi rester en vie ? N'ai-je pas vu mon lion, si désespéré à cause de moi qu'il voulait se planter l'épée dans le corps ? Et moi, j'hésiterais à mourir ? Allons, il faut quitter cette vie où ne m'attend
85 nul bonheur !

Pendant qu'il se lamentait ainsi, une malheureuse captive, enfermée dans la chapelle, l'avait entendu. Elle s'approcha d'une fissure du mur pour mieux voir, et appela :

– Qui est là ? Qui se lamente ainsi ?

90 – Et vous, qui êtes-vous ?

– Je suis une prisonnière, gémit-elle, la plus malheureuse de toutes les femmes.

– Tais-toi, folle créature ! Ta souffrance n'est rien, comparée à la mienne. J'ai connu toute la joie du monde, et ma douleur n'en
95 est que plus amère.

– Mon Dieu, je sais que vous dites vrai. Mais ne croyez pas pour autant que vous souffrez plus que moi. Vous êtes libre d'aller où vous voulez, alors que moi, je suis emprisonnée. Demain on viendra me chercher pour me conduire à la mort.

100 – Et pour quel crime, au nom de Dieu ?

– On m'accuse de trahison, et si je ne trouve pas d'ici demain un champion[1] pour me défendre, on me fera brûler ou pendre.

– Votre situation est malgré tout moins désespérée que la mienne : vous avez encore la possibilité d'être sauvée par un
105 champion !

1. **Champion** : chevalier qui se bat à la place d'une personne qui ne peut se défendre, une femme ou un homme âgé par exemple.

– Oui, certes, mais je n'en ai aucun à ma disposition. Il n'y a que deux hommes au monde qui oseraient livrer combat à trois chevaliers à la fois pour me défendre.

– Comment ? Ils sont donc trois ?

110 – Oui, seigneur, ils sont trois à m'accuser de trahison !

– Et qui sont ces deux chevaliers qui seraient assez hardis pour affronter trois combattants à la fois ?

– Je peux bien vous le dire : le premier est monseigneur Gauvain, et l'autre monseigneur Yvain. C'est à cause de lui que 115 demain je serai livrée injustement à la mort.

– À cause de qui ? Qu'avez-vous dit ?

– Seigneur, par ma foi, c'est bien à cause du fils du roi Urien ➲ !

– Je vous ai bien entendue ! Eh bien, je puis vous affirmer que vous ne mourrez pas sans qu'il soit à vos côtés ! Je suis moi-120 même cet Yvain, pour qui vous êtes en péril de mort. Et vous-même, vous êtes Lunette, la demoiselle qui m'a sauvé la vie dans le château aux portes coulissantes. Vous m'avez apporté de l'aide quand j'étais prisonnier de ce piège, dont je ne serais pas sorti vivant. Mais dites-moi, ma chère amie, qui a bien pu 125 vous accuser de trahison et vous faire jeter dans ce cachot ?

– Seigneur, je vous dirai l'entière vérité. Vous vous souvenez : c'est moi qui ai donné à ma dame le conseil de vous prendre pour époux. Dieu m'est témoin que j'ai agi loyalement et pour son bien. Elle s'est fiée à moi et, de mon côté, j'ai cherché à 130 satisfaire à la fois son intérêt et votre désir. Mais quand vous avez oublié le délai qu'elle vous avait fixé pour revenir, elle s'est fâchée contre moi. Elle a jugé qu'elle avait eu tort de me faire confiance. Le sénéchal, un homme perfide et déloyal, l'a appris.

➲ **Yvain est le fils du roi Urien.**

Il était très jaloux de moi à cause de cette confiance que ma dame me témoignait. Il a compris qu'il pouvait la dresser contre moi et, en pleine cour, devant tous, il m'a accusée de l'avoir trahie en votre faveur. Je me suis retrouvée seule, affolée, et j'ai répondu sur-le-champ, sans réfléchir. J'étais tellement sûre de mon innocence que j'ai affirmé qu'un seul chevalier pourrait me défendre contre trois, dans un duel judiciaire ➲. Le sénéchal m'a prise au mot : il m'était impossible de revenir sur cette proposition, et j'ai dû m'engager à trouver un chevalier qui accepte de combattre contre trois autres, dans un délai de quarante jours. J'ai été dans plusieurs cours, et même à celle du roi Arthur, mais je n'ai trouvé aucun appui, ni aucune nouvelle de vous.

– Et Gauvain, qui est si généreux et courtois ? Il n'a jamais refusé son secours à une demoiselle en détresse !

– J'aurais été bien heureuse de le trouver, car je sais qu'il m'aurait aidée, sans aucun doute. Mais on raconte qu'un chevalier inconnu a enlevé la reine, et que le roi a envoyé Gauvain à sa recherche ➲ ; il s'est donc lancé dans cette aventure, et  personne ne sait où il est. Voilà donc où j'en suis : demain je mourrai d'une mort honteuse, brûlée à cause de la haine qu'on vous porte.

– Jamais, par Dieu, je ne permettrai qu'on vous fasse le moindre mal ! Tant que je serai vivant, vous ne mourrez pas !

➲ Au Moyen Âge, on a recours au duel judiciaire pour décider de l'innocence ou de la culpabilité de quelqu'un. Dieu, qui ne peut laisser triompher une mauvaise cause, donne la victoire à l'innocent : c'est ce qu'on appelle le jugement de Dieu.

➲ Chrétien de Troyes fait ici allusion à un autre de ses romans : *Le Chevalier de la charrette*. On y voit Gauvain et Lancelot se lancer à la recherche de la reine Guenièvre, l'épouse du roi Arthur, enlevée par Méléagant.

Vous pouvez compter sur moi demain, car je mettrai ma vie en jeu pour vous libérer. Mais ne dites à personne qui je suis. Je veux que mon nom reste inconnu de tous.

160 – Seigneur, je ne le dirai pour rien au monde. Cependant, je vous en supplie, ne livrez pas pour moi un combat aussi inégal ! Je vous remercie de me l'avoir proposé, mais je serais trop malheureuse si vous succombiez : ils seraient ravis, et moi, je perdrais la vie de toute façon. Nous serions deux à périr : je pré-
165 fère mourir en vous sachant vivant !

– Ne vous tourmentez pas tant, ma chère amie, et ne rejetez pas mon aide. Il n'est pas question que je renonce à combattre pour vous, qui avez tellement fait pour moi. Demain, je vaincrai ces trois chevaliers, car Dieu sera avec moi. Vous êtes innocente
170 et ma cause est juste. À présent je dois m'en aller chercher un gîte[1] pour passer la nuit.

– Allez, seigneur, et que Dieu vous protège !

1. **Gîte** : demeure, abri.

LECTURE ACTIVE 4

→ Voir aussi étape 4, p. 150.

Chapitres 5 à 7 • Trahison et épreuves

As-tu bien lu ?

1 Vrai ou faux ? Coche la bonne réponse.

	Vrai	Faux
a. Il respecte le délai fixé par Laudine pour son retour.	☐	☐
b. Quand Laudine lui reprend son anneau, il devient fou.	☐	☐
c. Un lion qu'il sauve devient son ami.	☐	☐
d. Finalement il se donne la mort près de la fontaine.	☐	☐

2 Pourquoi Lunette est-elle dans une situation de détresse ? (2 bonnes réponses)

☐ Elle a été accusée d'avoir trahi Laudine.

☐ Elle ne trouve pas de chevalier acceptant de combattre contre trois autres.

☐ Elle va être jetée aux lions.

3 Quels personnages aident Yvain à surmonter le tourment qu'il éprouve après avoir trahi Laudine ?

☐ Gauvain ☐ le roi Arthur ☐ l'ermite

☐ le lion ☐ la dame de Noroison ☐ Lunette

Atelier

Élaborer un story-board

▶ ***Objectif.*** Mettre une scène en images sous la forme d'un story-board*.

▶ ***Préparation.*** Par petits groupes, relire la scène où Yvain affronte un serpent pour défendre un lion (p. 72, l. 1-21). Imaginer l'organisation du tournage de cette scène. Découper le récit en ses étapes clés.

▶ ***Réalisation.*** Sur une feuille A3, tracer autant de cases que d'étapes, et deux lignes sous chaque case. Puis dessiner dans les cases les plans correspondants. Noter sur les lignes les sons qui accompagnent le plan.

▶ ***Réfléchir ensemble.*** Quel story-board semble à la fois fidèle au récit et pouvant être à la base d'une bonne scène d'action ?

8
Le géant de la montagne

Aussitôt Yvain s'éloigna, suivi de son lion. Ils cheminèrent jusqu'à un château fort, qui devait appartenir à un puissant seigneur, car il était entouré d'une haute et solide muraille et ne craignait aucun assaut. Mais à l'extérieur des murs, tout avait 5 été ravagé. Pas une maison ni une chaumière debout.

Yvain s'approcha du château ; sept écuyers[1] s'avancèrent et baissèrent le pont-levis. Mais ils reculèrent, saisis d'effroi, à la vue du lion, et le prièrent de le laisser devant la porte.

– Il n'en est pas question, répondit Yvain. Ou nous serons 10 logés tous deux, ou je resterai avec lui à l'extérieur, car je l'aime autant que moi-même. Mais vous n'avez rien à craindre, je peux vous le garantir.

Rassurés, les écuyers le firent pénétrer dans le château, où il rencontra des chevaliers et des dames qui l'accueillirent très 15 aimablement et l'aidèrent à se désarmer. Ils se réjouissaient tous de sa venue, mais soudain ils semblèrent accablés de douleur, et se mirent à pleurer, à crier et à se lamenter. Ils étaient heureux de recevoir le chevalier, mais l'idée d'une autre aventure, qu'ils attendaient pour le lendemain, les terrifiait visiblement.

20 Monseigneur Yvain était stupéfait de ce comportement, et il s'adressa au maître des lieux :

– Par Dieu, très cher seigneur, pourriez-vous m'expliquer ce qui se passe ? Pourquoi un si bon accueil est-il suivi de larmes et de sanglots ?

1. **Écuyers** : jeunes nobles au service d'un chevalier.

25 – Oui, je vous le dirai, si vous y tenez. Mais je préférerais vous le taire, car vous en seriez attristé.

– Mais je ne peux accepter de vous voir dans une telle affliction ! Dites-moi ce qui vous tourmente, car il m'est impossible d'y rester indifférent.

30 – Eh bien, je vais tout vous expliquer. Un géant m'a causé beaucoup de tort, car il voulait que je lui donne ma fille, qui surpasse en beauté toutes les jeunes filles du monde. Ce cruel géant s'appelle Harpin de la Montagne, et il ne se passe pas un jour sans qu'il vienne s'emparer de mes biens. Il ne nous

35 a rien laissé en dehors de cette forteresse : les campagnes, le bourg qui se trouvait au pied de ces murailles, il a tout pillé et incendié.

» Si je suis accablé par le chagrin, c'est parce que j'avais six fils, tous chevaliers. Le géant les a faits prisonniers et en a tué

40 deux sous mes yeux. Demain les quatre autres connaîtront le même sort, à moins que quelqu'un accepte de combattre pour les délivrer, ou que je me résigne à lui livrer ma fille. Et quand il l'aura, voilà ce qu'il lui promet : il l'abandonnera aux plus répugnants valets de sa maison, car il ne veut même plus la prendre

45 pour lui-même. Ce terrible malheur est pour demain, si Dieu ne m'accorde son aide. Vous comprenez donc, seigneur, que nous soyons en larmes. Par égard pour vous[1], car il faut toujours honorer un hôte, nous tentons de faire bon visage, mais nous ne pouvons oublier les calamités[2] qui nous menacent.

50 Yvain avait écouté avec beaucoup d'attention.

– Seigneur, je suis affligé et révolté par le malheur qui vous frappe. Mais une chose m'étonne : pourquoi n'avez-vous pas

1. **Par égard pour vous** : par respect pour vous.
2. **Calamités** : grands malheurs.

cherché secours auprès de la cour du grand roi Arthur ? Vous y auriez trouvé des chevaliers qui n'auraient pas craint d'affronter un ennemi aussi redoutable.

Le seigneur lui confia alors qu'il aurait certainement pu avoir l'aide de Gauvain, qui était le frère de son épouse. Mais le chevalier était parti sur les traces de la reine, enlevée par le perfide Méléagant, qui l'avait entraînée dans son lointain royaume. Si le vaillant Gauvain avait appris cette aventure, nul doute qu'il serait accouru pour sauver sa nièce et ses neveux, mais il n'en savait rien.

Yvain soupira, bouleversé de pitié pour les malheurs de son hôte.

– Très cher seigneur, j'affronterais volontiers cette aventure, si seulement j'étais sûr que le géant et vos fils viennent demain suffisamment tôt. À midi, en effet, je dois absolument être ailleurs pour accomplir une autre mission.

– Cher seigneur, votre décision me touche, et je vous remercie de tout mon cœur.

Une jeune fille apparut alors, sortant d'une chambre. Elle était belle et gracieuse, mais son visage ravissant, penché vers le sol, exprimait une profonde tristesse. Sa mère l'accompagnait, et toutes deux tentaient de cacher leurs larmes. Mais le seigneur leur dit de relever la tête et de faire bon visage à leur hôte.

– Ce chevalier généreux nous a été envoyé par Dieu. Demain, il combattra le cruel Harpin ! Vous devriez vous jeter à ses pieds pour le remercier de son aide !

Yvain protesta : il n'aurait jamais voulu, il aurait même eu honte que la sœur ou la nièce de Gauvain s'inclinent devant lui ! Mais il leur recommanda de reprendre courage, car Dieu leur accorderait demain son secours.

– Mon seul souci, leur dit-il, est de voir le géant arriver dès l'aube pour combattre. S'il tarde, il me sera impossible de l'attendre, car ce serait violer la parole que j'ai donnée ailleurs.

Il n'oubliait pas la prisonnière de la chapelle. C'était son devoir absolu d'arriver à temps pour la secourir. Il s'efforça cependant de rassurer ses hôtes, qui avaient bien compris qu'il était un homme de valeur. Ils l'emmenèrent pour dormir dans une chambre confortable. Le lion vint se coucher auprès de lui, aussi doux qu'un agneau, et ils se reposèrent ensemble, mais les gens du château prirent bien soin de fermer la porte !

Le lendemain, à l'aube, le chevalier se leva pour entendre la messe, puis il attendit jusqu'à l'heure de tierce[1]. Il fit alors venir le seigneur du château et tous les siens :

– Seigneur, il est temps pour moi de partir, je ne peux rester plus longtemps. Je voudrais bien le faire, pourtant, pour la nièce et les neveux de mon ami Gauvain !

La demoiselle, la dame et le seigneur, tous furent saisis de terreur. Le père lui proposa une partie de ses biens et de ses terres pour qu'il consente à attendre encore un peu. La jeune fille, affolée, se mit à sangloter. Elle le suppliait de ne pas s'en aller, au nom de Dieu, de la Vierge Marie et des anges du Ciel, et aussi au nom de son oncle Gauvain. À ce nom, Yvain fut bouleversé : c'était celui de son meilleur ami, et il aurait voulu tout faire pour lui. En même temps, il était accablé d'angoisse, car il pensait à celle qui lui avait sauvé la vie et qui risquait un supplice affreux. Si elle périssait par sa faute, il en perdrait la raison, et cette fois pour toujours.

1. **L'heure de tierce** : neuf heures du matin, soit trois heures après prime (six heures du matin), la première heure du jour et l'heure du premier office religieux.

110 Pendant qu'il attendait encore un peu, déchiré par le doute, le géant arriva à vive allure, armé d'un gros pieu carré suspendu à son cou. Il traînait avec lui les fils du seigneur, prisonniers. Les jeunes gens faisaient pitié à voir : vêtus de chemises sales et puantes, ils avaient les pieds et les mains étroitement liés par 115 des cordes, et ils se tenaient tant bien que mal sur quatre chevaux boiteux, maigres et épuisés. Ils arrivèrent en longeant le bois, accompagnés par un nain bouffi et difforme. Celui-ci avait attaché les chevaux les uns aux autres par la queue, et il faisait avancer les prisonniers en les frappant jusqu'au sang avec un 120 fouet garni de nœuds. C'est ainsi que les malheureux parurent, escortés par le géant et le nain.

Harpin de la Montagne s'arrêta sur le terre-plein devant le château et cria au noble seigneur son défi : il mettrait à mort ses fils, si sa fille ne lui était pas livrée, pour le plaisir de sa 125 valetaille[1]. Lui, il ne l'estimait pas assez pour se souiller à son contact : mais ses ribauds[2] immondes, ses marmitons[3] pouilleux l'auraient à leur disposition pour quelques sous !

Le seigneur était près d'éclater de rage en entendant parler ainsi de sa fille. Le sort promis à ses fils lui brisait le cœur. Il 130 aurait préféré mourir et versait des larmes de détresse. Saisi de pitié, Yvain lui dit :

– Seigneur, ce géant arrogant qui vient parader sous vos murs est un monstre de cruauté. Mais Dieu ne permettra pas que votre fille tombe en son pouvoir. Ce qu'il veut faire d'elle est trop 135 infâme ! Vite, que l'on me donne mes armes et mon cheval ! Je

1. **Valetaille** : terme péjoratif, formé sur le mot *valet*, qui désigne l'ensemble des serviteurs.
2. **Ribauds** : soldats débauchés.
3. **Marmitons** : serviteurs de cuisine du rang le moins élevé.

vais affronter cette brute ignoble qui vous harcèle. Je veux qu'il libère vos fils et fasse réparation pour les propos qu'il a tenus sur votre fille. Aussitôt cela fait, j'irai là où mon autre mission m'appelle.

140 Les gens du château s'empressèrent de l'équiper, puis on baissa le pont-levis. Il s'avança, suivi de son lion, qui ne l'aurait laissé pour rien au monde. Tous ceux qui étaient restés en arrière le recommandèrent à Dieu, car il allait avoir à affronter un véritable démon. Harpin avait déjà massacré beaucoup 145 d'hommes très vaillants, devant leurs yeux, et ils avaient peur qu'Yvain ne subisse le même sort. Il aurait bien besoin de l'aide de Dieu pour sauver sa vie et triompher de lui.

Le géant, plein d'arrogance, s'avança et menaça Yvain :

– Eh bien, ceux qui t'ont envoyé ici ne devaient pas t'aimer 150 beaucoup !

– Arrête tes vantardises, et fais de ton mieux !

Yvain n'avait pas peur, il s'élança, et le géant armé de son énorme pieu vint vers lui au galop. Le chevalier le frappa en plein sur sa poitrine, qui était recouverte d'une épaisse peau 155 d'ours ; le coup fut si violent que celle-ci fut transpercée. Le sang jaillit comme une sauce épaisse, trempant sa lance. La brute furieuse abattit sur Yvain son pieu, le faisant ployer un instant, mais le chevalier se redressa et tira son épée. Son adversaire avait tellement confiance en sa force qu'il n'avait pas 160 revêtu d'armure. L'épée l'atteignit efficacement, lui taillant une grillade ➲ dans la joue. Mais le géant répliqua avec vigueur, si bien qu'Yvain s'affaissa sur le col[1] de son destrier. Voyant ce

1. **Col** (ancien français) : cou.

➲ **Yvain lui coupe un morceau de chair aussi gros que ceux que l'on met à griller pour manger.**

coup, le lion rugit, il hérissa sa crinière et se prépara à venir au secours de son maître. Emporté par la fureur, il bondit sur 165 Harpin, déchirant aussi facilement qu'une écorce la peau d'ours qui le protégeait. De ses crocs, il lui arracha un gros morceau de hanche, tranchant nerfs et muscles. Le géant mugit comme un taureau furieux, car il était mortellement blessé. Brandissant son pieu, il voulut frapper le lion, mais le manqua, l'animal l'es- 170 quivant d'un bond en arrière. Yvain lui porta alors de terribles coups de son épée : il lui trancha l'épaule et lui enfonça la lame au milieu du foie. Harpin, frappé à mort, tomba à grand fracas, comme un chêne qu'on abat.

Tous ceux qui étaient aux créneaux[1] se précipitèrent : le géant 175 gisait sur le dos, la gueule ouverte face au ciel. Tout le monde arriva en courant, le seigneur, la fille avec sa mère. Les quatre frères, qui avaient tant souffert, étaient dans la joie. Ils auraient tous voulu retenir Yvain, mais le temps pressait, et ils savaient bien que le chevalier devait partir. Ils le supplièrent de revenir 180 les voir, une fois sa mission accomplie. Mais Yvain ne pouvait leur donner aucune assurance : l'avenir était trop incertain.

Le chevalier demanda seulement au seigneur d'aller trouver Gauvain avec sa fille et ses fils, dès qu'il le saurait de retour. Qu'ils lui rapportent en détail tout ce qui s'était passé, afin de 185 faire connaître cette aventure étonnante.

– Certes, dirent-ils, nous serons heureux de raconter tout ce que vous avez fait pour nous. Mais Gauvain nous demandera certainement qui a accompli cet exploit. Que lui dirons-nous ? Nous ne connaissons même pas votre nom !

1. **Créneaux** : ouvertures pratiquées à intervalles réguliers tout en haut d'un rempart, d'une tour, permettant de tirer à couvert sur les assaillants.

190 – Voici ce que vous pourrez dire, quand vous serez devant lui : que je me nomme « le Chevalier au lion ». C'est ainsi que je veux être appelé. Ajoutez de ma part, je vous prie, qu'il me connaît parfaitement et que je le connais moi aussi, même s'il ignore qui je suis. Je n'ai rien de plus à vous demander. À pré-195 sent il faut que je parte d'ici, car j'ai déjà trop tardé et cela m'inquiète. Avant que midi soit passé, j'aurai fort à faire ailleurs, si je peux y arriver à temps.

Yvain combattant le géant Harpin de la Montagne, enluminure extraite du manuscrit *Yvain ou le Chevalier au lion*, XIIIe siècle. Bibliothèque de l'université de Princeton, New Jersey.

▶ Quels sont les éléments sur cette image qui mettent en valeur l'héroïsme d'Yvain ?

9
Au secours de Lunette

Il les quitta donc sans attendre. Le seigneur lui avait proposé d'emmener avec lui ses quatre fils pour le servir, mais il ne voulait être accompagné de personne. Il galopa aussi vite que son cheval pouvait l'emporter, tout droit vers la chapelle.

5 Mais quand il y parvint, il vit que l'on avait déjà fait sortir la demoiselle ; le bûcher où l'on devait la brûler était préparé. Elle se tenait devant le feu, ligotée, toute nue dans sa chemise ; elle était aux mains de ceux qui l'accusaient de noirs projets[1] auxquels elle n'avait même pas pensé.

10 Yvain, voyant Lunette devant le bûcher, fut saisi d'une terrible angoisse, mais il garda au cœur sa confiance : il était certain que Dieu et la justice étaient de son côté. Il avait aussi un allié fidèle : son lion. Il se précipita à bride abattue au milieu de la foule, en criant :

15 – Arrêtez ! Laissez cette demoiselle, bande de canailles ! Il n'est pas juste qu'on la jette au bûcher, car elle n'a pas commis les fautes dont vous l'accusez.

Aussitôt, les gens s'écartèrent pour lui laisser le passage. Yvain chercha des yeux sa dame, Laudine, à laquelle il ne cessait

20 de penser. Il finit par l'apercevoir, et son cœur bondit dans sa poitrine comme un cheval fougueux, mais il fallait le maîtriser et ne rien laisser paraître. Plein de joie et de douleur à la fois, il poussa un profond soupir, mais même les soupirs étaient de

1. **De noirs projets** : des projets funestes, mauvais pour sa maîtresse.

trop. À aucun prix il ne devait être reconnu. C'est alors qu'il
25 entendit un groupe de malheureuses dames se plaindre, accablées de douleur.

– Ah, Seigneur Dieu, tu nous as bien oubliées ! Nous restons là égarées, abandonnées, puisque nous allons perdre une amie si bonne et si dévouée. Que Dieu maudisse ceux qui vont nous
30 priver d'elle ! Comme elle a pu nous aider à la cour ! C'était sur son conseil que notre dame nous faisait cadeau de riches robes fourrées. Notre sort a bien changé de visage maintenant. Il n'y aura plus personne pour parler en notre faveur, plus personne pour conseiller ces largesses[1] : « Chère dame, ce manteau dou-
35 blé de fourrure, ce surcot[2] ou bien cette cotte, donnez-les à cette noble femme ! Si vous les lui envoyez, elle en fera bon usage, car elle en a grand besoin ! » Jamais plus on n'entendra ces propos ; chacun ne pense qu'à soi, et plus personne ne sait être généreux et courtois.

40 C'est ainsi qu'elles se lamentaient, et monseigneur Yvain ne pouvait être indifférent à ces plaintes, car elles venaient du fond du cœur. Il vit Lunette agenouillée, dépouillée de tout sauf de sa chemise. Elle avait déjà fait sa confession ➲, demandant pardon à Dieu pour ses péchés, petits ou grands. Et Yvain, qui lui por-
45 tait une si grande affection, vint vers elle et la releva.

– Ma chère demoiselle, où sont ceux qui vous accusent ? À l'instant même, à moins qu'ils ne le refusent, le combat leur est offert !

1. **Largesses** : dons accordés par les riches seigneurs et les riches dames à leur entourage.
2. **Surcot** : seconde robe que l'on porte sur la cotte.

➲ **Pour les chrétiens, la confession consiste à avouer ses péchés, ses fautes à un prêtre pour obtenir le pardon de Dieu. Il est particulièrement important de se confesser avant de mourir car, après la mort, Dieu jugera si l'on est digne ou non d'aller au paradis.**

Et la jeune fille, qui tenait sa tête baissée, leva vers lui les yeux pour répondre :

– Ah, seigneur, c'est Dieu qui vous envoie pour me secourir. J'ai bien besoin de vous. Ceux qui portent un faux témoignage sont ici, prêts à s'en prendre à moi. Si vous aviez tardé encore, je n'aurais plus été que charbon et cendres. Mais vous êtes venu pour me défendre ; que Dieu vous en donne la force, car moi, je suis totalement innocente du crime dont on m'accuse !

Le sénéchal, avec ses deux frères, avait entendu ces mots.

– Ah, femme ! Créature avare de vérité et généreuse de mensonge ! Il faut être complètement fou pour croire en ta parole et se charger du lourd fardeau de ta défense ! Le chevalier qui est venu pour toi est bien malchanceux, car il est seul et devra combattre contre nous trois. Mais je lui conseille de s'en retourner, avant que l'affaire ne se gâte pour lui !

Yvain répondit avec impatience :

– Seuls les lâches prennent la fuite ! Ce qui me fait peur, ce ne sont pas vos trois écus[1], mais l'idée de m'en aller piteusement[2], sans avoir porté un seul coup. Je suis en parfaite santé, et je serais un piètre chevalier si je vous abandonnais le terrain. Vos menaces ne me font pas peur. Ce que je vous conseille, c'est de renoncer à vos accusations contre la demoiselle. Vous l'avez calomniée[3], elle me l'a juré sur le salut de son âme ➲, et j'ai confiance en sa parole. Jamais elle n'a trahi sa dame, ni en acte, ni en parole, ni en pensée. Je la défendrai de tout mon pouvoir, car c'est défendre le bon droit. Dieu est toujours du côté de la justice. Il sera donc avec moi dans ce combat.

1. **Vos trois écus** : vos trois boucliers (celui du sénéchal, celui de ses deux frères).
2. **Piteusement** : honteusement.
3. **Calomniée** : accusée injustement.

➲ **Il s'agit d'une formule de serment très solennelle : si la personne qui jure « sur le salut de son âme » ment, son âme ira en enfer.**

Le sénéchal, poussé par un orgueil insensé, lui dit qu'il pouvait tout utiliser pour le combattre, à l'exception de son lion. Le chevalier répondit qu'il ne l'avait pas amené ici pour lui servir de champion[1], et qu'il comptait bien l'affronter seul. Mais si le
80 lion l'attaquait, qu'il se défende au mieux. Il ne pouvait pas lui donner de garantie sur ce point.

– Si tu ne peux pas maîtriser ton lion, tu n'as qu'à t'en aller d'ici. Ce serait plus raisonnable d'ailleurs, car on sait bien dans ce pays que cette demoiselle a trahi sa dame. Il est donc juste
85 qu'elle reçoive son salaire et périsse dans le feu et les flammes.

– Jamais, s'il plaît à Dieu ! dit Yvain, qui savait bien la vérité. Je ne connaîtrai plus aucune joie, si je ne parviens pas à la sauver.

Là-dessus, il demanda au lion de se retirer et de se coucher bien tranquillement. Immédiatement, la bête exécuta son ordre.
90 Les adversaires n'avaient plus rien à se dire et se préparèrent à combattre. Les trois hommes s'élancèrent au galop vers Yvain, qui, lui, laissa son cheval au pas. Il ne voulait pas s'épuiser en chargeant de toutes ses forces. Il resta donc ferme sous l'assaut et les laissa briser leurs lances contre son écu, gardant la sienne
95 intacte. Il s'éloigna alors d'une bonne longueur, puis revint soudainement sur eux. Le sénéchal devançait ses deux frères. Yvain lui porta de sa lance un coup si puissant qu'il le jeta à terre, où il resta évanoui. Mais les deux autres foncèrent sur lui, brandissant leurs épées nues, et lui assénèrent de grands coups. Il
100 ripostait vaillamment. Un seul de ses coups en valait deux ! Il se défendait si vigoureusement qu'il ne cédait pas un pouce de terrain. Mais le sénéchal se releva et se précipita vers lui, joignant ses efforts à ceux des deux autres. Voici Yvain en difficulté : il

1. **Champion** : défenseur.

était près de succomber, dominé par ses trois adversaires. Le lion ne le quittait pas des yeux. Son seigneur avait grand besoin d'aide, c'était évident. Au même moment, les dames de la cour, qui aimaient tant Lunette, suppliaient Dieu de tout leur cœur qu'il ne permette pas que son champion soit tué ou vaincu. Cette prière était le seul secours qu'elles pouvaient lui porter.

Mais le lion avait d'autres armes ! Il bondit sur le sénéchal, qui était à pied. Sous les griffes de l'animal, les mailles du haubert sautèrent comme des brins de paille. Il le plaqua au sol si rudement que l'épaule fut disloquée et le flanc arraché, laissant apparaître ses entrailles. Le sénéchal était perdu : il se roulait à terre dans le flot de sang vermeil[1] qui jaillissait de ses plaies. Les deux autres continuaient de s'acharner sur Yvain, qui ne parvenait pas à prendre le dessus. Le chevalier essaya de renvoyer le lion à sa place, mais l'animal comprenait que son seigneur avait besoin de lui, et il attaqua férocement les deux frères. Ceux-ci ripostèrent et lui infligèrent coups et blessures. Yvain, voyant son compagnon atteint, s'enflamma de colère. Pour le venger, il déploya tous ses efforts et finit par anéantir la résistance de ses adversaires. Ils furent obligés de se rendre. Monseigneur Yvain avait donc remporté la victoire, grâce à l'aide du lion, qui avait reçu de nombreuses blessures. Le chevalier, lui-même couvert de plaies, était surtout inquiet pour son ami, qui souffrait beaucoup.

Il avait donc obtenu ce qu'il voulait : la demoiselle était sauvée. La dame, renonçant à sa colère, lui pardonna de tout son cœur. Quant aux autres, ils furent brûlés sur le bûcher qu'ils avaient préparé pour une innocente. Ce n'était que justice !

1. **Vermeil** : rouge vif.

Lunette était tout à la joie d'être réconciliée avec sa dame. Tout le monde voyait bien que les deux femmes étaient ravies. Ils offrirent leurs services à leur seigneur, mais sans savoir qu'il 135 l'était effectivement. Laudine aussi, qui possédait son cœur et pourtant l'ignorait, insista pour le garder. Qu'il reste au moins le temps de se reposer et de guérir les blessures de son lion !

– Dame, répondit-il, il m'est impossible aujourd'hui de séjourner en ce lieu. Il faut auparavant que ma dame me pardonne et 140 renonce à sa colère contre moi. Alors seulement mes épreuves cesseront.

– Certes, j'en suis désolée. Je trouve qu'elle n'est pas très généreuse, cette dame qui vous garde rancune. Elle ne devrait pas interdire sa porte à un chevalier de votre valeur, à moins que 145 vous n'ayez commis une faute très grave envers elle.

– Dame, même si j'en souffre cruellement, tout ce qu'elle juge bon de faire me plaît aussi. Mais ne me questionnez plus sur ma faute ni sur ma condamnation, car je n'en parlerai pour rien au monde, sinon à ceux qui les connaissent bien.

150 – Quelqu'un le sait donc, à part vous deux ?

– Oui, en vérité !

– Alors, dites-moi au moins votre nom, cher seigneur, et vous pourrez partir tout à fait quitte.

– Tout à fait quitte ? Non, certainement pas. Ma dette est trop 155 grande pour que ce soit possible. Mais je ne vous cacherai pas le nom qui est le mien. Toutes les fois que vous entendrez parler du Chevalier au lion, il s'agira de moi. C'est ainsi que je veux être appelé.

– Par Dieu, seigneur, comment se fait-il que nous ne vous 160 ayons jamais vu, et que nous n'ayons jamais entendu parler de vous ?

– Dame, cela prouve que je ne suis pas très renommé !

– Je voudrais vous prier encore, sans vouloir vous ennuyer, de rester avec nous.

165 – Non, ma dame, je n'oserais. Il faudrait qu'avant je sois certain d'avoir retrouvé l'amour de ma dame.

– Eh bien, partez donc, cher seigneur, et que Dieu vous protège ! Qu'il change en joie votre souffrance et votre détresse !

– Dame, que Dieu vous entende !

170 Puis il ajouta tout doucement à voix basse :

– Dame, c'est vous qui avez la clef ! C'est vous qui possédez l'écrin[1] et la serrure qui enferment ma joie, et pourtant, vous l'ignorez !

Sur ces mots, il s'éloigna, le cœur plein de tourment. Per-175 sonne ne l'avait reconnu. Lunette seule l'accompagna et il lui recommanda à nouveau de ne dire à personne qui avait été son champion. Elle le lui promit, et il lui fit une autre prière : qu'elle ne l'oublie pas, et qu'elle soutienne sa cause auprès de sa dame, si elle en avait l'occasion.

180 – Seigneur, taisez-vous, vous n'avez pas besoin de me demander cela. Soyez sûr que je mettrai toute mon habileté dans cette affaire : je n'y renoncerai jamais.

Il la remercia cent fois en la quittant, et reprit sa route, soucieux et affligé à cause de son lion. Il était obligé de le porter, car 185 l'animal ne pouvait plus marcher. De son écu, il fit une litière, qu'il rembourra avec des mousses et des fougères ; il le coucha dessus bien doucement et l'emporta ainsi.

1. **Écrin** : boîte, coffret où l'on range des bijoux.

10
Les demoiselles de Noire-Épine

Monseigneur Yvain arriva au soir devant un beau manoir fortifié, portant toujours son lion étendu dans son écu. Trouvant la porte fermée, il appela. On vint aussitôt lui ouvrir. Yvain n'eut pas besoin de faire un long discours ; le portier saisit son cheval par la bride en l'accueillant chaleureusement :

– Cher seigneur, avancez ! S'il vous plaît de descendre ici, mon seigneur sera ravi de vous offrir l'hospitalité.

– J'accepte volontiers cette offre, car j'en ai très grand besoin.

Yvain franchit alors la porte et vit les gens de la maison rassemblés. Ils vinrent à lui pour l'aider à mettre pied à terre, et ils posèrent bien doucement sur un perron l'écu où le lion était étendu. D'autres s'occupèrent du cheval pour le mettre à l'écurie, d'autres enfin le désarmèrent.

Apprenant son arrivée, le seigneur vint le saluer, avec son épouse, ses fils et ses filles. Ils l'accueillirent avec beaucoup de joie et lui procurèrent tout ce qu'il lui fallait. Voyant qu'il était fort mal en point, ils l'installèrent dans une chambre bien tranquille, et ils eurent la délicatesse de loger son lion à côté de lui.

Les deux filles du seigneur étaient expertes dans l'art de soigner les blessures. Elles s'occupèrent de lui, et aussi de son lion. Yvain resta assez longtemps au château, jusqu'au moment où ils furent tous deux suffisamment guéris pour reprendre la route.

Dans l'intervalle, il arriva que le seigneur de Noire-Épine rendit son âme à Dieu. Il n'avait que deux filles, et après sa mort elles se querellèrent. L'aînée annonça qu'elle prendrait possession de tout le domaine, sans restriction ; il n'était pas question qu'elle en cède une part à sa sœur. La cadette[1] déclara que, dans ces conditions, elle irait chercher de l'aide à la cour du roi Arthur, afin de défendre ses droits sur les terres de son père ➲.

L'aînée s'inquiéta, quand elle vit que sa sœur ne lui céderait pas toute la terre sans discussion. Elle pensa que, si c'était possible, elle irait à la cour avant sa sœur. Elle se prépara sans perdre un seul instant et parvint à la cour du roi. La cadette, malgré ses efforts, arriva trop tard, l'autre l'avait précédée.

La sœur aînée était allée trouver monseigneur Gauvain pour lui demander de défendre sa cause. Le chevalier, toujours prêt à accorder son aide aux dames et aux demoiselles, y avait consenti, mais à une condition : personne ne devrait apprendre de sa bouche l'accord qu'ils avaient conclu. Sinon, elle serait à jamais privée de ses services.

Quand la sœur cadette arriva à la cour, elle se présenta, vêtue d'un manteau d'écarlate doublé d'hermine. Il y avait trois jours que la reine était revenue de sa captivité chez le cruel Méléagant, avec tous les captifs que Lancelot avait fait libérer. Seul ce dernier manquait encore pour que la joie fût complète. Et le même jour arriva la nouvelle que le géant de la montagne, l'horrible Harpin, avait été vaincu par le Chevalier au lion. Monseigneur Gauvain apprit toute l'histoire par ses neveux et sa nièce, qui lui

1. **Cadette** : fille qui vient après l'aînée par ordre de naissance.

➲ **Au Moyen Âge, si l'aîné reçoit l'héritage, il doit laisser au cadet de quoi vivre dignement (le tiers ou le quart de l'héritage sous forme de terres ou de pension). La jeune femme a donc raison de réclamer sa part d'héritage.**

racontèrent dans le détail comment ils avaient été délivrés. Il fut ravi, et aussi intrigué quand sa nièce lui dit qu'il connaissait leur sauveur, mais sans le savoir.

La plus jeune des demoiselles de Noire-Épine entendit ce récit. Mais elle était désespérée, car elle n'avait pas trouvé à la cour l'aide qu'elle était venue chercher. À ses prières, en effet, monseigneur Gauvain avait répondu :

– Chère amie, j'en suis désolé, mais il m'est impossible de vous satisfaire : je suis engagé dans une autre affaire, que je ne peux abandonner.

La jeune fille s'adressa alors au roi :

– Noble roi, je suis venue demander de l'aide auprès de votre cour, mais j'ai été déçue. Je suis très étonnée de ne trouver ici aucun soutien. Que ma sœur sache cependant que je souhaite un partage à l'amiable. Mais ce ne sera jamais par la force que je lui céderai mon héritage.

– Voici des paroles raisonnables, dit le roi. Puisqu'elle est ici, je vais lui recommander de vous laisser votre part.

Mais l'aînée était certaine d'avoir pour champion le meilleur chevalier du monde :

– Que Dieu m'anéantisse si je lui cède jamais le moindre château, la moindre ville, le moindre morceau de forêt ou de terrain ! Mais si un chevalier a l'audace de prendre les armes pour elle, qu'il se présente à l'instant !

– Ce serait contraire à toutes les règles, dit le roi. Pour trouver un champion qui défende sa cause, elle a besoin d'un délai d'au moins quarante jours. C'est ainsi que l'on procède dans toutes les cours.

– Noble roi, vous pouvez établir vos lois comme il vous convient, ce n'est pas à moi de vous critiquer. Je me résignerai donc à accepter ce délai, si elle le veut.

80 La cadette affirma qu'elle le voulait et le réclamait. Puis elle quitta la cour, bien résolue à chercher partout et sans trêve le meilleur chevalier du monde, celui qui se faisait appeler le Chevalier au lion. Elle parcourut tout le pays sans en trouver la trace. Désespérée, elle finit par tomber malade d'épuisement. Elle eut 85 la chance cependant d'arriver dans un château où demeuraient des proches qui l'aimaient beaucoup. Ils remarquèrent qu'elle était en mauvaise santé et s'efforcèrent de la retenir, afin qu'elle se repose. Elle leur conta toute son affaire. Une autre jeune fille se proposa pour se lancer dans la quête à sa place.

90 Cette demoiselle voyagea toute la journée à grande allure, jusqu'au moment où la nuit tomba. La pluie s'abattit alors avec une violence incroyable. L'obscurité était totale et elle prit peur. Elle s'était enfoncée dans le bois, le chemin était mauvais et glissant et son cheval trébuchait à tout moment. Une jeune 95 fille seule, sans escorte, chevauchant au milieu des bois par une nuit profonde... vous imaginez sa terreur ! Elle suppliait Dieu, la Vierge Marie et tous les saints pour sortir de cette forêt et trouver un logis. Elle priait ainsi quand elle entendit le son d'un cor. La joie et le soulagement l'envahirent. Elle allait peut-100 être réussir à atteindre un abri. Elle trouva une chaussée pavée sur laquelle elle s'engagea. Par trois fois, le cor retentit encore : c'était un guetteur, qui l'avait aperçue de loin et qui cherchait à la guider. Elle arriva donc à un château aux murs blancs. On lui ouvrit la porte sans tarder, et le seigneur du lieu l'accueillit :

105 – Soyez la bienvenue, demoiselle, qui que vous soyez. Cette nuit vous aurez un bon gîte.

– Je ne désire rien d'autre pour ce soir !

Après un bon repas, son hôte lui demanda où elle allait et ce qu'elle cherchait.

110 – Ma foi, répondit-elle, je cherche un homme que je n'ai jamais vu. Mais un lion l'accompagne, et l'on m'a dit que, si je le trouve, je peux lui faire une entière confiance.

– J'en suis témoin moi-même, car Dieu me l'a envoyé quand j'étais dans la détresse. Il m'a vengé d'un ennemi mortel en le 115 tuant sous mes yeux. Vous pourrez voir demain devant cette porte le corps d'un énorme géant, qu'il a promptement massacré.

– Par Dieu, seigneur, parlez-moi donc de lui ! Dites-moi surtout dans quelle direction il est parti !

– Je n'en sais rien, hélas, mais je vous conduirai demain au 120 chemin qu'il a pris.

– Que Dieu me guide là où je pourrai avoir d'autres nouvelles de lui !

Le lendemain matin, au point du jour, la demoiselle était déjà levée pour reprendre sa route. Le seigneur, avec tous ses gens, 125 l'accompagna jusqu'au chemin qui menait à la fontaine sous le pin. Elle se hâta de suivre la route vers le château, et interrogea les premiers qu'elle rencontra : pouvaient-ils lui dire où trouver un chevalier accompagné d'un lion ? Ils lui apprirent qu'ils l'avaient vu vaincre trois adversaires en un seul combat, non 130 loin d'ici. Elle les pressa d'en dire plus :

– Que sont-ils devenus ?

– Hélas, nous n'en savons rien ! Mais la demoiselle pour qui il a combattu saura peut-être vous donner de ses nouvelles. Elle est en ce moment à l'église pour écouter la messe. Allez vite la 135 trouver !

Lunette sortait tout juste de l'église.

– La voilà ! dirent-ils.

Et la jeune fille se précipita à sa rencontre pour la saluer et l'interroger. Lunette fit aussitôt seller un palefroi. Elle allait elle-même l'accompagner à l'endroit où elle avait laissé le chevalier. Pendant la chevauchée, elle lui raconta son histoire : comment elle avait été accusée de trahison, emprisonnée et menée au bûcher, et comment enfin le Chevalier au lion était venu à son secours. Elles étaient arrivées là où Yvain l'avait quittée.

– Suivez ce chemin, et vous rencontrerez certainement quelqu'un qui connaîtra de ses nouvelles. Je ne l'ai pas vu depuis, mais il n'est sans doute pas allé loin, car il était très faible. Il a bien dû chercher un endroit où se faire soigner. Allez, je ne puis vous accompagner davantage, car il me faut retourner auprès de ma dame.

La jeune fille trouva rapidement le manoir où monseigneur Yvain avait été hébergé et soigné avec tant de générosité. Le seigneur de la maison était là, devant la porte, avec tous les siens. Elle les salua et leur demanda des nouvelles du chevalier qu'elle cherchait.

– Mais qui est-ce ?

– C'est celui qui est toujours accompagné par un lion.

– Par ma foi, demoiselle, il vient tout juste de nous quitter ! Vous n'aurez pas de mal à suivre la trace des sabots de son cheval. Dépêchez-vous !

Ils la mirent sur la bonne route et elle partit sur-le-champ au galop. Que le chemin fût bon ou non, elle ne ralentit pas l'allure un instant. Elle finit par apercevoir un chevalier accompagné d'un lion. Enfin, c'était celui qu'elle avait cherché au prix de mille difficultés ! Elle poussa à fond son palefroi qui n'en pouvait plus, tout couvert de sueur, et parvint à le rejoindre. Elle s'arrêta à sa hauteur et le salua. Il lui répondit courtoisement :

– Que Dieu vous protège et vous délivre de tous vos tourments !

Arrivée d'Yvain au château de Pesme Aventure, extrait d'*Yvain, le Chevalier au lion*, de Chrétien de Troyes, XIVe siècle.

- À quoi reconnaît-on Yvain ? Que fait-il ?
- Qui est la personne qui l'accompagne (voir p.100-101) ?
- Que penses-tu de la façon dont le château est représenté ?

170 – Ah, seigneur, c'est vous qui pouvez m'en délivrer ! Comme je vous ai cherché ! Je me suis épuisée à vous poursuivre. Partout où je suis passée, on ne parle que de vos exploits. Dieu merci, je vous trouve enfin ! Je ne viens pas pour moi, mais de la part d'une dame de grande valeur. Elle est convaincue que vous 175 êtes le seul à pouvoir l'assister dans une querelle qui l'oppose à sa sœur. Celle-ci veut la priver de son héritage. Si vous aidez mon amie à conserver les biens qui lui viennent de son père, vous aurez gagné toute sa reconnaissance, et votre renommée ne pourra qu'augmenter encore. Elle vous a cherché elle-même, 180 mais l'épuisement l'a forcée à s'aliter. C'est donc moi qui suis venue vous supplier à sa place. Viendrez-vous la secourir ?

– Rassurez-vous, ma chère amie. Je ne refuserai pas d'aider cette demoiselle qui a besoin de moi. Nul chevalier ne peut garder sa renommée s'il ne porte pas secours à ceux qui sont 185 dans la détresse. Je vous suivrai où vous voudrez, et je ferai tout mon possible pour elle, si Dieu veut bien m'aider à défendre son droit.

Ils chevauchèrent donc ensemble, et c'est ainsi qu'ils approchèrent du château de Pesme Aventure[1].

---

1. **Pesme Aventure** : la « pire aventure », en ancien français.

11
Le château de Pesme Aventure

Le jour baissait, et ils décidèrent de ne pas aller plus loin. Ils prirent donc le chemin qui menait au château, et les gens qui les voyaient venir se mirent à pousser des cris hostiles :

– Malheur à vous, seigneur ! Vous n'êtes pas le bienvenu ! Celui qui vous a indiqué ce logis voulait votre malheur et votre honte.

– Pourquoi m'agresser ainsi ? Pourquoi tant de méchanceté ? Avez-vous perdu la raison ?

– Pourquoi ? Vous n'allez pas tarder à le savoir, si vous montez jusqu'à la forteresse là-haut !

Monseigneur Yvain se dirigea aussitôt vers la tour, tandis que les autres le poursuivaient de leurs huées[1] :

– Où vas-tu, misérable ? Tu vas au-devant des insultes et des affronts !

– Gens sans honneur et sans bonté ! Pourquoi vous en prendre à moi ? Que me reprochez-vous ?

Mais une dame d'un certain âge s'approcha, et lui parla avec sagesse et courtoisie :

– Ami, inutile de te fâcher. Ce n'est pas par méchanceté que ces gens agissent ainsi. Ils t'avertissent, comprends-le bien, de ne pas aller te loger là-haut. Ils ne peuvent t'expliquer pourquoi, mais ils essayent de t'effrayer. Ils font de même pour tous ceux

1. **Huées** : cris de désapprobation.

qui arrivent ici. C'est la coutume du lieu : elle nous interdit de bien accueillir les chevaliers valeureux. Pour le reste, c'est à toi de voir ! Personne ne t'empêche d'y aller. Mais si tu voulais me croire, tu ferais demi-tour.

– Dame, vos conseils sont sans doute sages. Mais si je reprenais la route, où logerais-je cette nuit ?

– Ma foi, cela ne me regarde pas, et je ne dirai plus rien. Je serais contente, pourtant, de te voir ressortir de là sans trop de honte. Mais hélas, c'est impossible.

– Dame, grand merci, et que Dieu vous bénisse ! Mais mon cœur me pousse à aller là-bas, et je ne peux lui résister, même si c'est une folie.

Il se dirigea vers la porte, avec son lion et la jeune fille. Le portier les interpella aussitôt :

– Malheur à vous ! Vous êtes arrivés dans un lieu dont vous ne repartirez pas facilement.

Ces paroles d'accueil étaient bien menaçantes.

Yvain passa sans répondre et se retrouva dans une grande salle haute. Au-devant, il y avait un préau entouré d'une enceinte de gros pieux pointus. Regardant entre les pieux, Yvain aperçut à l'intérieur de l'enclos trois cents jeunes filles en train de travailler. Elles tissaient des fils d'or et de soie, chacune du mieux qu'elle pouvait. Mais elles semblaient être dans la misère, car certaines étaient tête nue, et d'autres n'avaient même pas de ceinture. Leurs chemises étaient sales à l'encolure, et leurs cottes[1] en lambeaux : leurs coudes passaient au travers des manches. Elles avaient le cou amaigri et le visage pâli par la faim et la souffrance. Quand elles aperçurent Yvain, elles

1. **Cottes** : tuniques.

baissèrent la tête et se mirent à pleurer, honteuses d'être vues ainsi. Elles étaient tellement désespérées qu'elles n'osaient lever les yeux vers lui.

Yvain les contempla, bouleversé de pitié, et fit demi-tour vers 55 l'entrée. Mais le portier bondit et lui barra le passage :

– Impossible, beau maître ! Pas question de sortir ! Avant de repartir, vous aurez subi bien des humiliations. Vous préféreriez être dehors, maintenant, mais il est trop tard pour reculer !

– Ce n'est pas mon intention. Mais dis-moi, mon ami, les 60 demoiselles que j'ai vues dans ce préau, d'où viennent-elles ? Les ouvrages d'or et de soie qu'elles tissent sont magnifiques et me plaisent beaucoup, mais ce qui me plaît moins, c'est de les voir maigres, pâles et affligées[1]. Elles seraient pourtant belles et gracieuses, si elles n'étaient pas dans une telle misère.

65 – Ne comptez pas sur moi pour vous renseigner ! Trouvez quelqu'un d'autre !

Yvain se dirigea donc vers le préau et ouvrit la porte de l'enclos. Il s'avança vers les demoiselles et les salua. Mais elles continuaient de pleurer : les larmes coulaient le long de leurs 70 visages sans pouvoir s'arrêter.

– Que Dieu vous vienne en aide, et change votre chagrin en joie !

– Dieu vous entende ! répondit l'une d'entre elles. Nous allons vous raconter notre histoire, seigneur. Vous comprendrez pourquoi nous sommes prisonnières et misérables sans 75 l'avoir mérité. Il y a bien longtemps de cela, le roi de l'Île aux Pucelles ➲ partit dans le vaste monde en quête d'aventure. Jeune et irréfléchi, il se jeta dans un effroyable péril : il arriva

1. **Affligées** : profondément tristes.

➲ **Dans les légendes celtiques, l'Île aux Pucelles est l'un des noms donnés au royaume des fées. Celui-ci est souvent représenté comme une île peuplée de jeunes filles merveilleusement belles.**

dans ce château où habitent deux fils de diable. Ne croyez pas que ce soit une fable : ils sont nés d'une femme et d'un netun[1].
80 Les deux démons allaient attaquer le jeune roi, qui n'avait pas encore dix-huit ans. Ils l'auraient massacré comme un jeune agneau. Comme il était terrifié, il s'en sortit comme il put : il jura qu'il enverrait ici chaque année trente jeunes filles de son royaume. Il devrait payer cette rançon pour pouvoir s'en aller
85 sain et sauf. Et il fut fixé par serment que cet usage durerait toute la vie des deux démons. Le roi ne serait quitte de cette redevance[2] que le jour où ils seraient vaincus dans un combat. Alors seulement les jeunes filles pourraient être libérées.

» Mais pourquoi parler de libération ? Nous ne sortirons
90 jamais d'ici, livrées à la honte, à la fatigue et à la misère. Toute notre vie, nous tisserons la soie, et n'en serons pas mieux vêtues. Toujours nous serons pauvres et nues, toujours nous aurons faim et soif. Le pain nous est rationné : peu le matin, et le soir encore moins. Nous avons beau nous épuiser au tra-
95 vail, nous ne gagnons pas assez pour nous nourrir, avec nos quatre deniers. Et pourtant, chacune d'entre nous rapporte une livre par semaine ➲ : le fruit de notre travail ferait la fortune d'un duc ! Le maître de ces lieux, pour qui nous nous tuons à la tâche, s'enrichit de notre misère. Nous travaillons des jour-
100 nées entières et nous veillons la nuit pour accroître ses gains, car ce bourreau nous menace, si nous prenons du repos. Nous sommes abreuvées de chagrins et d'humiliations, et je ne vous raconte pas le quart de nos tourments ! Mais ce qui nous rend folles de douleur, c'est de voir ici des chevaliers vaillants, comme

1. **Netun** : sorte de démon.
2. **Redevance** : taxe, impôt ; ici, l'envoi annuel de trente jeunes filles.

➲ **Le denier est une monnaie de faible valeur, contrairement à la livre qui vaut 240 deniers.**

vous, qui sont obligés de se battre avec ces deux démons. Ils paient bien cher leur gîte, par la mort ou la honte ! Et c'est ce qui va se produire demain : vous allez devoir combattre, et perdre votre vie ou votre réputation.

– Je prie Dieu de m'accorder sa protection et, s'Il le veut, honneur et liberté vous seront rendus. Mais maintenant je vais vous quitter pour aller trouver le seigneur de ce château, et voir l'accueil qu'il me fera.

Yvain traversa la salle et la demeure sans rencontrer personne. Accompagné de la jeune fille et du lion, il entra enfin dans un verger.

Là il vit un noble seigneur, allongé sur une riche couverture de soie. Installée à côté de lui, sa fille lisait à haute voix un roman. La mère était venue s'accouder auprès d'eux pour écouter la lecture. La jeune fille faisait la joie de ses parents. Elle n'avait pas dix-sept ans, mais elle était si belle et si gracieuse qu'elle aurait fait naître l'amour dans un cœur de pierre.

À l'arrivée d'Yvain, ils se levèrent pour le saluer :

– Entrez, cher seigneur, et que Dieu vous bénisse, vous et ceux que vous aimez !

Ils semblaient l'accueillir avec beaucoup de joie, et ils firent tout pour l'honorer. La jeune fille l'aida à se désarmer et à se rafraîchir, comme son père souhaitait qu'elle le fasse pour ses hôtes. Elle sortit d'un coffre une belle chemise plissée et des braies blanches, et pour porter dessus, un magnifique surcot[1]. Puis elle le revêtit d'un manteau d'écarlate fourré de petit-gris. Elle se donnait tant de mal pour lui faire honneur qu'Yvain en était fort gêné. Mais la jeune fille était si courtoise et bien élevée

1. **Surcot** : vêtement porté sur la *cotte*.

qu'elle s'acquitta parfaitement de cette tâche, que lui avait enseignée sa mère. Le soir, on leur servit un dîner somptueux, avec tant de plats qu'il y en eut trop. On l'accompagna avec beaucoup d'honneurs jusqu'à son lit, où on le laissa enfin seul ; son lion se coucha comme d'habitude à ses pieds.

Au petit matin, le chevalier se leva. Sa compagne le rejoignit et ils allèrent ensemble écouter la messe dans une chapelle. Yvain avait reçu de multiples avertissements, et il se doutait bien qu'il ne lui serait pas possible de partir du château. Il se souvenait aussi du sort des malheureuses jeunes filles captives. Mais il feignit de vouloir s'en aller pour voir ce que dirait son hôte si hospitalier. Quand il parla de prendre congé, le seigneur lui apprit qu'il n'en était pas question :

– Ami, ce congé, je ne vous le donne pas encore. Une coutume impitoyable est établie dans ce château, et je n'y peux rien changer. Je vais faire venir deux serviteurs, très grands et très féroces. Contre eux, de gré ou de force, vous devrez combattre. Si vous pouvez les vaincre, vous recevrez ma fille en mariage, avec ce château et toutes ses terres.

– Seigneur, je ne veux point de vos richesses. Quant à votre fille, gardez-la. Elle est si belle et si bien élevée que l'empereur d'Allemagne serait heureux de la prendre pour épouse !

– Ne dites rien de plus, mon cher hôte ! Vous ne pouvez repousser mon offre : ma fille, mon château et toute ma terre iront au vainqueur. Si vous êtes trop lâche pour vous battre, ce n'est pas en refusant ma fille que vous parviendrez à l'éviter. Ce combat ne peut être annulé : tout chevalier qui passe la nuit chez moi doit le livrer. C'est une coutume solidement établie, qui durera tant que ma fille ne sera pas mariée.

– Puisqu'il en est ainsi, je me battrai, mais bien malgré moi.

C'est alors que surgirent, noirs et hideux, les deux fils du netun. Ils étaient munis d'énormes bâtons fourchus renforcés de plaques de cuivre et de fil de laiton. Une armure les protégeait des épaules aux genoux, laissant la tête et le visage découverts, et les jambes nues. Ils étaient équipés en plus d'un bouclier rond, solide et léger, pour se protéger le visage lors du combat à l'épée.

Le lion commença à rugir, car il comprenait très bien, à la vue de leurs armes, qu'ils allaient attaquer son maître. La colère et le désir de combattre s'emparèrent de lui, le faisant hérisser sa crinière et battre le sol de sa queue. Voyant cela, les deux netuns dirent à Yvain :

– Vassal, éloignez d'ici ce lion qui nous menace ! Sinon, vous serez déclaré vaincu. Faites-le mettre à l'écart. Il ne doit pas vous porter secours.

– Faites-le partir vous-mêmes, si vous avez peur de lui ! S'il peut vous mettre à mal, je n'y vois rien à redire !

– Il n'en est pas question ! Vous devez combattre seul contre nous deux. Si le lion vous aidait, vous seriez deux contre deux. Ce serait contraire à la coutume.

– Et où voulez-vous qu'il aille ?

Ils lui montrèrent une petite chambre où Yvain enferma son lion. On alla chercher ses armes et son cheval, et il s'équipa rapidement. Aussitôt les deux netuns, n'ayant plus à craindre le lion, s'élancèrent sur lui. De leurs massues, ils lui portèrent des coups si rudes que ses armes ne lui servaient à rien : son heaume fut bien vite cabossé et disloqué, et son écu mis en pièces comme s'il avait été de verre. Face à eux, aiguillonné[1]

1. **Aiguillonné** : poussé, stimulé.

par la honte et la crainte, Yvain se défendait de toutes ses forces. Jamais de sa vie il n'avait donné des coups d'une telle violence.

Mais le lion dans la chambre s'agitait. Il se souvenait des bien-
195 faits de son maître et aurait voulu l'aider à son tour. Il entendait le bruit des coups échangés dans ce combat périlleux et déloyal. Fou de rage, il cherchait une issue, fouillant de tous côtés. Examinant le sol près du seuil, il découvrit que le bas de la porte, tout pourri, cédait sous ses griffes. Il gratta tant et si bien qu'il
200 put se faufiler et passer son corps jusqu'aux reins.

Yvain était épuisé et couvert de sueur. Les deux brutes, vigoureuses et endurcies, l'avaient harcelé de coups. Il avait riposté du mieux qu'il pouvait, mais ses adversaires étaient experts dans le maniement de l'épée. Leurs écus étaient étonnamment
205 résistants et Yvain n'avait pu les entamer. Il savait sa vie menacée, mais il tenait bon pourtant.

À force de gratter le sol, le lion était parvenu à se dégager. Il bondit sur le premier des deux et le culbuta violemment à terre, comme il eût fait d'une bûche. Voilà les traîtres terrifiés,
210 mais personne dans l'assistance ne les plaignait. Le second accourut. Le lion, qui avait terrassé le premier, se retourna alors contre lui. Le netun craignait bien plus le lion que le chevalier. Il tourna donc le dos à son adversaire, lui présentant sa tête et sa nuque à découvert. Il aurait fallu être fou pour ne pas profiter
215 de l'occasion ! Yvain lui trancha la tête au ras du torse, si proprement que l'autre ne s'en rendit même pas compte. Il mit pied à terre aussitôt pour s'occuper de l'autre netun. Mais le lion lui avait fait une telle blessure que rien n'aurait pu le guérir : son épaule droite était complètement arrachée du buste. Mortelle-
220 ment blessé, il réunit ses forces pour dire :

Le lion d'Yvain s'échappant de la prison, extrait d'*Yvain le Chevalier au lion*, de Chrétien de Troyes, XIVe siècle.

- Yvain et ses adversaires utilisent-ils les mêmes armes ? Pourquoi ?
- Comment qualifierais-tu la représentation et l'attitude du lion ?

– Éloignez votre lion, noble seigneur. Je me rends à votre merci ➲, vous ferez de moi ce qu'il vous plaira. Seul un homme sans pitié pourrait le refuser.

– Tu dois donc reconnaître que tu es vaincu, et que tu renonces
225 au combat.

– Seigneur, cela se voit bien ! Je suis vaincu et je renonce au combat.

– Tu n'as donc plus rien à craindre de moi ni de mon lion.

La foule se rassembla aussitôt autour du chevalier pour lui
230 faire fête. Le seigneur et la dame accoururent pour le féliciter et lui parler de leur fille :

– Vous êtes maintenant notre gendre et notre héritier, puisque vous allez vous marier avec notre fille. Nous vous la donnons bien volontiers pour épouse.

235 – Et moi, je vous la rends, seigneur. N'allez pas croire que je la méprise. Si je ne l'accepte pas, c'est parce que je ne dois pas le faire. Mais s'il vous plaît, délivrez, pour l'amour de moi, les jeunes filles que vous tenez prisonnières. Il est convenu, vous le savez bien, qu'elles pourront partir librement.

240 – Ce que vous dites est vrai, et je leur rends leur liberté. Mais prenez ma fille avec tous mes biens ; elle est belle et parfaitement élevée : vous ne pourriez faire un meilleur mariage !

– Seigneur, vous ignorez beaucoup de choses sur moi, et je ne peux vous en informer. Soyez sûr que j'accepterais votre fille, si
245 j'étais en droit de le faire. Mais, à la vérité, il m'est impossible de

➲ **Le personnage demande grâce. Un chevalier est, selon le code de l'honneur, obligé de l'accorder.**

prendre une épouse. Laissez-moi donc en paix là-dessus, car il est temps pour moi de partir. La jeune fille qui m'accompagne m'attend.

– Vous voulez partir ? Et comment ? Je suis le maître de ces 250 lieux. Si je l'ordonne, ma porte restera fermée et vous serez mon prisonnier. Quel orgueil, quelle arrogance, de montrer un tel dédain pour ma fille !

– Du dédain, seigneur ? Je ne vous ai nullement insulté. Je vous ai seulement dit que je ne pouvais pas l'épouser, ni m'at- 255 tarder à aucun prix. Mais je vous jure que, si je le pouvais, je reviendrais épouser votre fille !

– Je ne vous réclame aucun serment. Si ma fille vous plaît, vous reviendrez rapidement. Partez donc, je vous dispense de vos promesses. Que vous soyez retenu par la pluie, le vent, le 260 gel, peu m'importe ! Je ne vous donnerai pas ma fille de force. Partez donc à vos affaires, cela m'est bien égal !

Aussitôt monseigneur Yvain s'en alla sans s'attarder davantage. Il emmenait avec lui les prisonnières libérées, que le seigneur lui avait remises, pauvres et mal vêtues. Mais à présent 265 elles étaient riches, car elles avaient retrouvé l'espoir. Elles sortirent en cortège, deux par deux et, voyant Yvain, elles lui manifestèrent leur joie. Si Dieu était descendu du Ciel pour les sauver, elles ne seraient pas plus heureuses !

Tous les habitants du château, qui avaient accablé Yvain de 270 propos malveillants, vinrent lui demander pardon pour leurs insultes. Mais le chevalier était généreux, il fit comme s'il avait tout oublié :

– Je ne comprends pas de quoi vous parlez. Vous n'avez jamais rien dit que je puisse prendre pour une insulte. Soyez rassurés, 275 je ne vous en veux aucunement.

Réconfortés par ces propos généreux, ils faisaient l'éloge de sa courtoisie[1]. Ils l'escortèrent quelque temps, puis le recommandèrent à Dieu. Les demoiselles aussi lui demandèrent congé et lui témoignèrent beaucoup de gratitude. Quand elles seraient 280 dans leur pays, elles prieraient Dieu pour qu'il lui accorde protection, joie et santé, partout où il irait.

1. **Courtoisie** : délicatesse.

LECTURE ACTIVE 5

Chapitres 8 à 11 • Au secours de demoiselles en détresse

As-tu bien lu ?

1 Indique au secours de quelle(s) personne(s) Yvain se porte.

chapitre 8 •	• Lunette
chapitre 9 •	• la nièce de son ami Gauvain
chapitre 10 •	• la cadette du seigneur de Noire-Épine
chapitre 11 •	• trois cents jeunes filles prisonnières

2 Indique maintenant quel personnage combat Yvain.

chapitre 8 •	• les deux fils du netun
chapitre 9 •	• le sénéchal et ses deux frères
chapitre 11 •	• Harpin de la Montagne

3 Quel rôle joue le lion dans chacun de ces combats ?

Atelier

Faire l'éloge d'Yvain

▶ ***Objectif.*** Rapporter les exploits d'Yvain sous la forme d'un poème.

▶ ***Préparation.*** Les trois chapitres 8, 9 et 11, qui narrent chacun une prouesse d'Yvain, sont répartis entre plusieurs groupes. Chaque groupe relit le chapitre qui lui a été attribué, en étant attentif aux circonstances de l'action et aux qualités du héros.

▶ ***Réalisation.*** Sous la forme d'une strophe versifiée, rapporter l'exploit d'Yvain (par exemple : « Un jour Yvain a rencontré ... / Avec son lion, il a.... ») puis faire l'éloge du vaillant chevalier. Trois groupes au moins (un par chapitre) lisent leur strophe devant la classe.

▶ ***Réfléchir ensemble.*** Les strophes présentent-elles un air de ressemblance ? Pourquoi ?

12
Yvain et Gauvain

Yvain poursuivit sa route à bonne allure, guidé par la jeune fille, qui connaissait bien le chemin. Elle le conduisit au château où elle avait laissé la jeune demoiselle de Noire-Épine, désespérée et malade. Mais quand celle-ci apprit l'arrivée de son amie avec le Chevalier au lion, son cœur fut inondé de joie. Elle était sûre désormais d'obtenir la part d'héritage qui lui revenait. Elle accourut pour saluer Yvain et ses compagnons, encore amaigrie et affaiblie par la maladie et le tourment qu'elle avait subis. Mais ses souffrances étaient oubliées, tellement l'allégresse était grande.

Le lendemain elle partit avec Yvain, et ensemble ils voyagèrent jusqu'à la cour d'Arthur. Le roi s'y trouvait depuis deux semaines, ainsi que la demoiselle qui voulait déshériter sa sœur. Elle attendait l'arrivée de sa cadette en toute tranquillité. N'avait-elle pas pour elle monseigneur Gauvain, le meilleur chevalier du monde ? On était presque au quarantième jour du délai accordé. Un seul jour de plus et elle aurait tout l'héritage, sans contestation.

Monseigneur Yvain et la jeune fille n'étaient plus loin : ils couchèrent cette nuit-là dans une petite maison, et se dirigèrent de bon matin vers le château du roi. Arrivés à proximité, ils attendirent que midi soit largement passé pour parcourir les dernières lieues.

Gauvain avait passé la nuit dans les environs. Il se prépara à aller à la cour, mais avec une armure et un équipement que personne ne lui connaissait, car il voulait combattre incognito[1]. Il savait en effet qu'aucun de ses frères d'armes ne voudrait, par amitié, se battre contre lui. À son arrivée, la sœur aînée le présenta au roi comme son champion :

30 – Seigneur, le temps passe. L'heure de none[2] va bientôt sonner, et c'est le dernier jour. Voyez, je suis en état de défendre mon droit : si ma sœur devait revenir avec un champion, elle serait déjà là. Mais il est clair qu'elle ne peut faire mieux : elle s'est donné de la peine pour rien. Moi, j'ai toujours été prête 35 à revendiquer ce qui m'appartient. J'ai donc gagné ma cause sans combat, puisqu'elle n'est pas là. Je vais rentrer dans mes terres et jouir en paix de mon héritage. Quant à ma sœur, je me moque totalement de son sort.

Le roi avait bien compris toute la déloyauté de la jeune fille.

40 – Amie, lui dit-il, vous êtes dans une cour royale. Vous devez attendre, c'est la règle, que le tribunal du roi ait rendu la justice. Il n'est pas encore temps de plier bagage. Votre sœur peut encore venir.

Le roi n'avait pas terminé sa phrase qu'il aperçut le Chevalier 45 au lion qui arrivait, suivi de la sœur cadette. Le lion n'était pas là : ils étaient partis en cachette, le laissant dans la maison où ils avaient passé la nuit. Le roi reconnut la jeune fille. Il était heureux de la voir, car sa sagesse et son sens de la justice lui montraient clairement qui avait raison dans la querelle. Il lui 50 lança joyeusement :

– Avancez donc, belle amie, et que Dieu vous protège !

1. **Incognito** : de manière à ce que personne ne le reconnaisse.
2. **L'heure de none** : petite prière qui se récite à la neuvième heure du jour (quinze heures).

L'aînée tressaillit en entendant ces mots. Elle se retourna et vit sa sœur avec le chevalier chargé de défendre sa cause. Son visage devint livide.

55 La sœur cadette se dirigea vers le roi qui l'avait accueillie si chaleureusement et le salua :

– Que Dieu protège le roi et tous les siens ! Noble roi, je vous amène un champion qui défendra mes droits, si vous le voulez bien. Ce noble et généreux chevalier avait fort à faire ailleurs, 60 mais, voyant ma détresse, il a tout quitté pour venir me secourir. Je lui serai toujours reconnaissante. Maintenant je m'adresse à ma très chère sœur : qu'elle soit assez courtoise pour me laisser seulement ce qui m'appartient de droit, et la paix régnera entre nous. Je ne demande rien de ce qui lui revient.

65 – Moi non plus, dit l'autre, je ne revendique pas ce qui te revient, car tu ne possèdes rien ! Tu peux faire tous les beaux sermons[1] que tu voudras, tu es ma cadette et tu n'obtiendras jamais rien. Tu pourras en sécher de chagrin !

Mais la cadette ne manquait ni de sagesse ni de courtoisie. 70 Elle sut bien lui répondre :

– Quel malheur, ma sœur, de voir deux vaillants chevaliers se battre pour une si petite querelle ! J'en suis désolée. Je ne peux pourtant pas renoncer à faire valoir mes droits. Alors accordez-moi de bon gré ce qui m'appartient.

75 – Je serais bien sotte de t'abandonner quoi que ce soit ! Que je brûle en Enfer si je te donne de quoi vivre ! On verra l'eau de la Seine remonter jusqu'à sa source avant que tu obtiennes rien de moi, autrement que par la victoire de ton champion.

1. **Sermons** : discours prononcés par le prêtre lors de la messe ; ici, discours moralisateurs.

– Je n'ai donc plus qu'à faire confiance à la justice de Dieu.
80 Qu'il aide ce chevalier à démontrer mon bon droit !

Le temps des paroles était terminé. Elles amenèrent leurs champions au milieu de la cour. Toute la foule se rassembla, excitée à l'idée d'assister à un combat. Ceux qui allaient se battre ne se reconnaissaient pas, et pourtant ils étaient les meilleurs 85 amis du monde. Ne sont-ils plus des amis ? Je vous répondrai oui et non à la fois, car je peux démontrer l'un et l'autre ➲.

En vérité, monseigneur Gauvain aime Yvain, c'est son meilleur compagnon. Et Yvain aime Gauvain de la même façon : s'il le fallait, il mettrait sa tête à couper pour lui. Gauvain en ferait tout 90 autant. N'est-ce pas là un amour parfait ? Oui, certainement !

Et la haine ? N'est-elle pas aussi évidente ? Oui, quand on les regarde maintenant, prêts à s'élancer : chacun ne pense qu'à briser la tête de l'autre, ou à le malmener jusqu'à ce qu'il s'avoue vaincu ! Yvain veut-il tuer son ami Gauvain ? Oui, c'est 95 vrai, et monseigneur Gauvain ne songe qu'à tuer Yvain de ses propres mains.

Ma foi, j'ai bien prouvé qu'amour et haine sont présents en eux. Mais cet amour, ils l'ignorent, et c'est la haine qui va les guider ! Ils vont se lancer dans un combat acharné, et j'ai bien peur 100 qu'ils ne s'arrêtent qu'à la mort de l'un d'eux. Quel malheur si les deux amis devaient s'entretuer !

Ils prirent tous les deux leurs distances, puis lancèrent leurs chevaux au galop. Au premier choc, leurs bonnes lances de frêne[1] se brisèrent. Quel malheur ! Si seulement ils s'étaient parlé, ils 105 auraient pu se reconnaître ! Ils auraient tous deux lâché leurs

1. **Frêne** : grand arbre dont le bois est dur et souple.

➲ **L'auteur intervient ici pour souligner l'aspect tragique de la scène de combat qui va suivre.**

armes pour courir s'embrasser ! Mais non, ils cherchaient au contraire à s'infliger les pires blessures. Les heaumes et les écus étaient déjà tout cabossés et transpercés. Le tranchant des épées s'ébréchait et s'émoussait, car ils mettaient toutes leurs
110 forces dans cet assaut. Ils frappèrent alors avec le pommeau[1] des épées : les pierres précieuses qui ornaient les heaumes tombèrent à terre, pulvérisées. Les coups pleuvaient sur les fronts, les nez, les joues. Les chairs tuméfiées[2] éclataient, laissant ruisseler le sang. Les hauberts déchirés et les écus en pièces ne les
115 protégeaient plus. Les voilà blessés tous les deux. Ils n'en continuaient pas moins à se battre avec ardeur.

Ils reculèrent un peu pour reprendre souffle et calmer les battements de leurs cœurs. Mais cette pause fut de courte durée. Ils s'élancèrent de nouveau l'un sur l'autre, avec encore plus
120 d'acharnement.

Les spectateurs du combat étaient impressionnés : ils n'avaient jamais vu de chevaliers aussi courageux. Quel dommage que deux hommes d'une telle valeur risquent de s'entretuer pour une querelle entre sœurs ! Ils essayèrent de réconcilier les deux
125 jeunes filles. Mais l'aînée ne voulait rien entendre. La cadette était bien plus raisonnable et s'en remettait à la décision du roi. Tous pensaient qu'elle avait raison et s'employaient à convaincre l'aînée. La reine Guenièvre elle-même vint avec les chevaliers prier le roi de régler le conflit en donnant à la cadette un tiers
130 ou un quart des terres. Il fallait trouver un moyen de mettre un terme au combat ! Mais le roi Arthur dit qu'il ne pouvait rien faire tant que l'aînée s'obstinait dans sa position.

1. **Pommeau** : poignée de l'épée.
2. **Tuméfiées** : enflées et couvertes d'hématomes.

Les deux chevaliers cependant continuaient de s'accabler de coups avec un acharnement hors du commun. Chacun d'eux
135 était stupéfait de voir l'autre lui résister aussi farouchement. Leurs corps étaient épuisés, leurs bras douloureux, et le sang coulait de leurs blessures à travers les hauberts. Ils souffraient tous deux terriblement. Ils se battirent longtemps ; le soir commençait à descendre, et aucun ne parvenait à prendre le dessus,
140 tellement leur valeur était égale.

La nuit qui tombait, et l'impossibilité de triompher de l'autre, tout cela les incitait à faire la paix. Mais avant de quitter le champ de bataille, chacun tenait à savoir qui était son adversaire. Monseigneur Yvain parla le premier, mais sa voix était si faible et si
145 cassée que l'autre ne la reconnut pas :

– Seigneur, la nuit approche. Je pense que personne ne pourra nous reprocher d'interrompre le combat, puisque c'est la nuit qui nous sépare. Mais pour ma part, je peux vous dire que je vous crains et que je vous admire. Jamais, de toute ma vie, je
150 n'ai autant souffert dans une bataille, et jamais je n'ai rencontré d'adversaire que je souhaite autant connaître. Vous m'avez véritablement assommé de coups !

– Ma foi, dit monseigneur Gauvain, je suis moi-même complètement étourdi par ceux que j'ai reçus de vous. Vous m'avez
155 rendu avec intérêt ceux que j'ai pu vous donner ! Mais puisque vous voulez savoir par quel nom on m'appelle, sachez que je me nomme Gauvain, fils du roi Lot.

Yvain, stupéfait, éperdu, resta un moment sans voix. Puis saisi de colère et de chagrin, il jeta à terre son épée rouge de
160 sang et son écu en morceaux. Mettant pied à terre, il s'écria :

– Hélas ! Quel malheur ! Comment avons-nous pu nous battre ainsi sans nous reconnaître ? Si j'avais su qui vous étiez, je n'aurais jamais livré combat, j'aurais préféré me déclarer vaincu d'avance !

165 – Comment ? Qui êtes-vous ?

– Je suis Yvain, l'homme qui vous aime le plus au monde ! Et vous-même m'avez toujours aimé et honoré en tous lieux. Mais je veux réparer le mal que j'ai pu vous faire : je me déclare vaincu !

170 – Vous feriez cela pour moi ? En vérité, je serais insensé si j'acceptais ! C'est moi qui me déclare vaincu !

– Ah, cher seigneur, c'est impossible ! Vous voyez bien que je ne peux plus tenir debout !

– Pas du tout, c'est moi qui suis dompté et anéanti !

175 En poursuivant la discussion, Gauvain descendit de cheval. Les deux amis tombèrent dans les bras l'un de l'autre, chacun continuant de se proclamer vaincu. Le roi et les barons accoururent et firent cercle autour d'eux. Ils étaient stupéfaits de voir ces farouches adversaires se manifester tant de joie.

180 – Seigneurs, dit le roi, dites-nous d'où vient cette soudaine amitié, alors que vous avez passé la journée à vous battre avec tant de haine !

– Seigneur, vous allez tout savoir, dit monseigneur Gauvain. La malchance est à l'origine de ce combat. Puisque vous vou-185 lez connaître la vérité, sachez que je suis Gauvain, votre neveu. Je n'ai pas reconnu mon ami, monseigneur Yvain, que voici. Par chance, il m'a demandé mon nom, et c'est ainsi que nous nous sommes reconnus. Mais nous nous étions déjà bien battus, et cette rencontre aurait pu très mal tourner si elle s'était 190 prolongée encore. Il m'aurait sans doute tué, car sa vaillance est grande, et aussi parce que je défends une mauvaise cause.

Quand Yvain entendit ces mots, son sang ne fit qu'un tour :

– Seigneur, ne parlez pas ainsi ! Le roi doit savoir que dans ce combat, le vaincu, c'était moi, et sans aucun doute !

195 – Non, c'était moi !

– Mais non, c'est évident !

Ils étaient tous deux si courtois que chacun désirait voir couronner l'autre, et aucun ne voulait la victoire pour soi. Le roi était très heureux de les voir ainsi rivaliser de générosité et d'amitié, 200 alors qu'ils venaient de s'infliger de multiples blessures. Il mit fin à la querelle :

– Seigneurs, il y a entre vous beaucoup d'affection, et vous le montrez bien en voulant tous deux vous déclarer vaincus. Vous allez maintenant vous en remettre à moi pour prononcer 205 le jugement. Je vais arranger l'affaire à la satisfaction de tous.

Ils jurèrent de se plier à la décision du roi. Celui-ci annonça qu'il allait régler le conflit en toute justice.

– Où est la demoiselle qui a chassé sa sœur hors de sa terre et l'a déshéritée de force et sans aucune pitié ?

210 – Me voilà, seigneur !

– Vous êtes là ? Avancez donc ! Je savais depuis longtemps que vous cherchiez à la déshériter. Son droit ne sera plus contesté, puisque vous venez de dire la vérité. Vous allez lui laisser sa juste part dans cette succession.

215 – Ah, seigneur roi ! J'ai fait une réponse bien sotte ! Ne me prenez pas au mot ! Par Dieu, seigneur, ne m'accablez pas ! Gardez-vous de commettre une injustice !

– C'est précisément pour ne pas commettre une injustice que je veux rétablir votre sœur dans ses droits. Vous venez d'en- 220 tendre que vos deux champions s'en sont remis à moi. C'est donc à moi de juger. Tout le monde a clairement vu que le tort est de votre côté. Vous allez donc faire ma volonté en tout point, sinon je déclarerai que mon neveu a été vaincu dans ce combat, et ce sera bien pire pour vous !

225 Le roi n'avait pas l'intention d'en venir là, mais il avait bien compris que la sœur aînée ne céderait qu'à la menace. Elle prit peur en effet, et ne put que répondre :

– Seigneur, il me faut donc accomplir votre volonté, mais cela me brise le cœur. Je le ferai pourtant, et ma sœur aura sa part 230 de mon héritage.

– Vous allez l'investir immédiatement de son fief ➋. Ainsi elle sera votre vassale et vous sa suzeraine. Vous vous devrez l'une à l'autre affection et respect.

Le roi régla ainsi l'affaire, et reçut les remerciements de la 235 sœur cadette, fort heureuse de rentrer en possession de sa terre. Mais il était temps pour les deux chevaliers de quitter leurs armures, ce que chacun fit, à la demande du roi. C'est à ce moment qu'on vit accourir le lion, qui avait suivi la trace de son maître. Le retrouvant enfin, il manifesta une joie incroyable. 240 Vous auriez vu les gens reculer !

– Restez donc ! fit Yvain. Pourquoi prendre la fuite ? Vous n'avez rien à craindre de mon lion, croyez-moi. Il est à moi et je suis à lui : c'est mon compagnon fidèle, et il ne vous fera aucun mal.

245 Tous comprirent alors qu'il s'agissait du lion dont ils avaient entendu raconter les exploits. C'était lui qui avait aidé le chevalier inconnu à triompher du cruel géant, Harpin de la Montagne. Et ce chevalier, c'était Yvain.

➋ Le fief est une terre attribuée par le suzerain à son vassal. En échange de cette terre qui lui permet de vivre, le vassal doit au suzerain aide et loyauté.

Les retrouvailles entre Yvain et Gauvain, extrait d'*Yvain, le Chevalier au lion*, de Chrétien de Troyes, XIVe siècle.

- Décris l'image le plus précisément possible.
- Quelles sont les trois parties qui en organisent la composition ?

– Seigneur, s'écria Gauvain, quelle honte pour moi de vous
250 avoir combattu aujourd'hui ! Je vous ai bien mal récompensé du service que vous m'avez rendu en sauvant mes neveux et ma nièce. Croyez-moi, je me suis souvent demandé qui pouvait être ce Chevalier au lion, dont je n'avais jamais entendu parler, et qui pourtant me connaissait.

255 Quand ils se furent désarmés, le lion s'élança vers son seigneur, et lui témoigna autant d'affection qu'une bête muette peut le faire. Les chevaliers furent emmenés dans une chambre tranquille où l'on soigna leurs blessures : ils en avaient bien besoin. Le roi, qui les aimait beaucoup, leur envoya son chirurgien,
260 l'homme le plus expert qu'on connût dans l'art de guérir les plaies. Ils furent tous les deux bientôt guéris.

Au Moyen Âge, la chirurgie était surtout pratiquée par les barbiers, dont l'intervention se bornait à de menues opérations : soigner les plaies, réduire les fractures, pratiquer des saignées...

LECTURE ACTIVE 6

→ Voir aussi étape 5, p. 152.

Chapitre 12 • Un terrible duel

As-tu bien lu ?

1 Vrai ou faux ? Coche la bonne réponse.

	Vrai	Faux
a. L'aînée du seigneur de Noire-Épine entend déshériter sa sœur cadette.	☐	☐
b. Gauvain a accepté de défendre sa cause.	☐	☐
c. La sœur cadette sera défendue par Yvain.	☐	☐
d. Gauvain et Yvain se battent à visage découvert.	☐	☐
e. Yvain fait intervenir son lion dans le combat.	☐	☐

2 Qui gagne le combat ?

3 Quel est le dénouement de l'affaire d'héritage entre les deux sœurs ?

☐ La sœur aînée obtient tout l'héritage.
☐ La sœur cadette obtient tout l'héritage.
☐ Chacune des sœurs obtient sa juste part.

Atelier

Conter l'histoire à l'oral

► ***Objectif.*** Raconter oralement le duel entre Yvain et Gauvain, à la manière des conteurs de l'époque de Chrétien de Troyes.

► ***Préparation.*** La classe est divisée en trois groupes d'environ dix élèves. Chaque groupe relit le récit du combat (p. 119-120, l. 81-120), avant de le conter à l'oral, comme au Moyen Âge. La parole est répartie de manière que chaque élève dise quelques phrases. Chaque groupe répète en prenant soin que le récit reste fluide.

► ***Réalisation.*** Au moins deux groupes vont raconter le combat devant les autres élèves. Ne pas hésiter à s'écarter un peu du texte, l'essentiel étant que le public soit captivé.

► ***Réfléchir ensemble.*** Les conteurs ont-ils su s'affranchir suffisamment de leur texte ? Ont-il bien restitué la tension dramatique du récit ? Comment chaque groupe a-t-il traité les interventions du narrateur ?

13
Retour à la fontaine

Monseigneur Yvain resta à la cour le temps qu'il fallait pour que ses plaies se referment. Mais si son corps était guéri, son cœur souffrait mille tourments. À quoi bon vivre, s'il restait séparé pour toujours de Laudine ? Si sa dame n'avait pas pitié de lui, il finirait par mourir d'amour et de chagrin.

Voici le projet qu'il forma : il quitterait la cour tout seul et irait à la fontaine. Là, il déclencherait la plus effroyable des tempêtes : les vents, la pluie et la foudre se déchaîneraient, et sa dame serait peut-être obligée, par crainte et par nécessité, de faire la paix avec lui, puisque la fontaine n'aurait plus de défenseur. Si elle ne voulait rien entendre, il ne cesserait de lui faire la guerre en déclenchant pluies et vents.

Yvain s'en alla donc avec son lion, qui ne l'aurait abandonné pour rien au monde. Il arriva à la fontaine, et là, il déchaîna la tempête la plus terrifiante qu'on eût jamais vue. Vous pouvez me croire : l'orage fut si terrible qu'on aurait dit que la forêt entière allait être réduite à néant. La dame avait peur que son château ne s'effondre d'un seul coup : les murailles et même le donjon tremblaient, prêts à s'écrouler. Terrorisés, les habitants priaient le Ciel et maudissaient leurs ancêtres pour avoir construit leurs maisons dans un tel pays. Cette fontaine était une véritable malédiction, car elle permettait à un seul homme de venir les assaillir et les torturer à son aise.

Document 1 : ***Troie*, film réalisé par Wolfgang Petersen, avec Brad Pitt dans le rôle d'Achille, 2004.**

Document 2 : ***La mort de Roland au col de Roncevaux*****, enluminure extraite d'un manuscrit flamand de *****La Chanson de Roland*****, 1462.**

Document 3 : Affiche du film *Le Seigneur des anneaux : le Retour du roi*, réalisé par Peter Jackson, 2003.

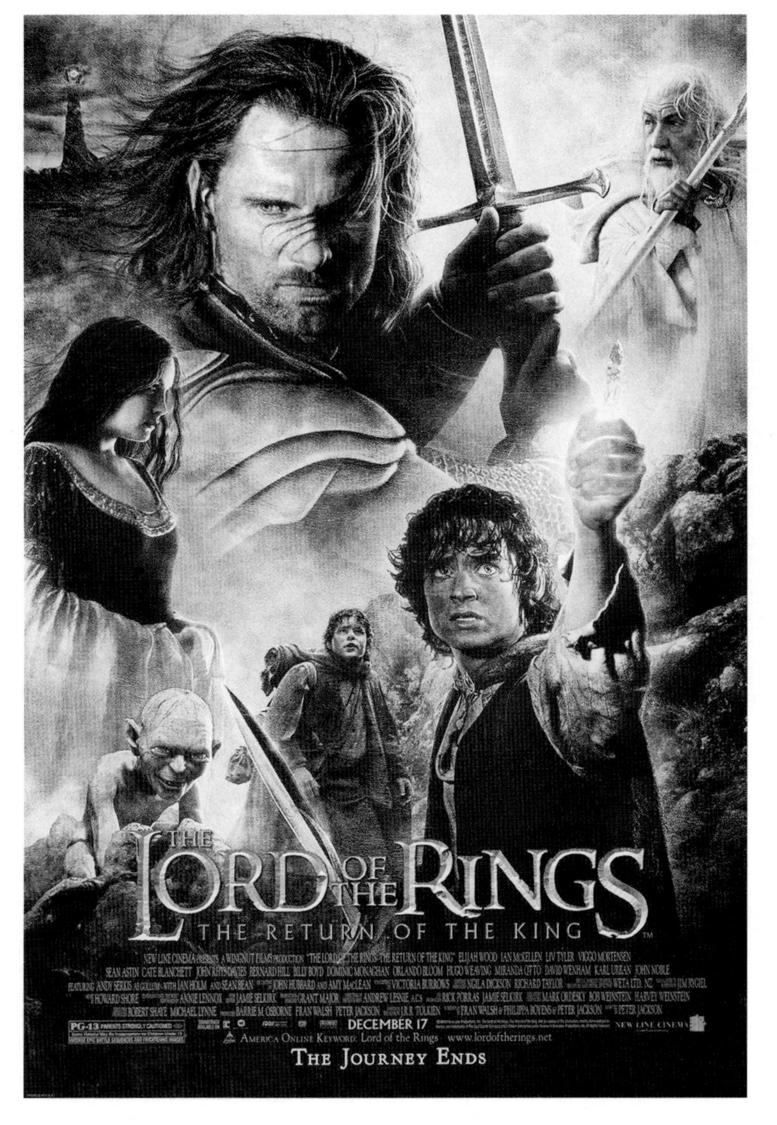

Document 4 : *Wonder Woman*, film réalisé par Patty Jenkins, avec Gal Gadot dans le rôle de l'héroïne, 2017.

– Ma dame, fit Lunette, il vous faut prendre une décision. Vous ne trouverez personne ici qui accepte de vous aider dans ce péril. Pas un de vos chevaliers n'osera défendre la fontaine, et quand on saura que l'assaillant n'a trouvé personne en face de lui, tout le monde pensera que ce château est une proie facile. Jamais plus nous ne connaîtrons la paix, jamais nous n'oserons seulement passer la porte, tant que la fontaine ne sera pas défendue. Vous êtes dans une situation critique, si vous ne trouvez remède à la situation.

– Et où le trouver ? Toi qui es si avisée[1], donne-moi un conseil !

– Dame, je vous conseillerais volontiers, mais je n'ose plus m'en mêler. Prenez un autre conseiller plus sage que moi. Je supporterai avec les autres la pluie, le vent et la tempête, jusqu'à ce que vous ayez trouvé un chevalier assez vaillant pour assumer la charge de défendre la fontaine.

– C'est impossible. Tu sais bien que je ne peux pas compter sur mes hommes. Mais toi, sois une véritable amie : aide-moi de ta sagesse et de ton bon sens.

– Dame, si l'on pouvait trouver ce chevalier qui tua le géant Harpin de la Montagne et qui vainquit le sénéchal et ses frères, il pourrait peut-être nous sauver. Il faudrait aller le chercher, mais vous vous souvenez de ses paroles : aussi longtemps qu'il sera en guerre avec sa dame, aussi longtemps que durera sa colère contre lui, il ne saurait accepter aucune mission. Il est désespéré, et il ne nous aidera que si l'on peut lui jurer de tout faire pour le réconcilier avec sa dame.

– Assurément, s'écria Laudine, je suis prête à faire tout ce qui est en mon pouvoir pour cela.

---

1. **Avisée** : sage, prudente.

– Dame, je suis certaine que vous le pouvez, et encore plus que vous ne le pensez. Mais je préfère prendre votre serment avant de me mettre en route.

55 Laudine accepta, et Lunette fit venir de la chapelle un reliquaire très précieux.

– Dame, mettez-vous à genoux et levez la main pour prêter serment. Je ne veux pas que dans quelques jours vous m'accusiez de traîtrise. Dans cette affaire, vous ne faites rien pour moi.
60 C'est dans votre intérêt que vous agissez. Jurez donc que vous emploierez toutes vos forces en faveur du Chevalier au lion, jusqu'à ce qu'il ait retrouvé l'amour de sa dame !

– Je le jure mot pour mot. Devant Dieu et devant les saints, je ferai tout mon possible pour lui rendre l'amour de sa dame !

65 Lunette avait fait là du bon travail. Elle venait d'accomplir ce qu'elle désirait le plus au monde. Le visage rayonnant, elle monta sur son palefroi et chevaucha jusqu'à la fontaine. Elle trouva Yvain sous le pin, et le reconnut grâce à son lion. Elle mit pied à terre. Tous deux étaient ravis de se retrouver.

70 – Ah, seigneur, comme je suis contente de vous trouver si près ! Je n'en espérais pas tant !

– Comment ? Vous me cherchiez donc ?

– Oui, seigneur, et je n'ai jamais été aussi heureuse ! J'ai obtenu de ma dame un serment : elle a juré qu'elle se récon-
75 cilierait avec vous. Elle sera votre dame et vous son époux, à moins de se parjurer.

Un reliquaire est un petit coffre contenant *des reliques*, c'est-à-dire des restes d'un saint (morceaux d'os ou de vêtement, objets leur ayant appartenu). Au Moyen Âge, un serment prêté sur les reliques est extrêmement solennel. Le rompre (« se parjurer », l. 76) mérite le châtiment de Dieu.

Monseigneur Yvain était bouleversé. Il ne pensait pas entendre un jour cette nouvelle. Il serra contre son cœur Lunette, plein de reconnaissance pour celle qui lui avait procuré cette joie.

80 – Amie, je ne pourrai jamais vous rendre le centième de ce que je vous dois. Grâce à vous je retrouve enfin le bonheur.

– Seigneur, ne vous inquiétez pas ! Vous aurez encore l'occasion de faire le bien, à moi et à d'autres. J'avais moi-même une dette envers vous, et je n'ai fait que mon devoir.

85 – Par Dieu, vous avez fait cinq cents fois plus !

– N'en discutons plus, et partons. Il est temps d'aller voir ma dame.

– Mais lui avez-vous dit qui j'étais ?

– Non, par ma foi. Je ne lui ai parlé que du Chevalier au lion, 90 et elle ignore qui il est.

Ils arrivèrent au château, suivis par le lion. Une fois dans l'enceinte, ils ne parlèrent à personne avant de se trouver devant la dame. Très heureuse de leur venue, Laudine les accueillit. Monseigneur Yvain, toujours revêtu de son armure, tomba à genoux 95 à ses pieds. Aussitôt Lunette intervint :

– Dame, relevez-le, et faites tout ce que vous pouvez pour qu'il obtienne le pardon de sa dame ! Personne au monde ne le peut mieux que vous !

La dame l'invita avec douceur à se relever et, s'adressant à 100 Lunette :

– Je suis prête à tout faire pour lui, puisque tu m'affirmes que c'est possible. Qu'il dise sa volonté et ses désirs.

– Assurément, ma dame, je ne l'aurais pas dit si je n'en étais pas sûre ! Personne n'a autant de pouvoir que vous. Je vais donc 105 vous dire la vérité : jamais vous n'avez eu et jamais vous n'aurez d'ami meilleur que celui-ci. Que Dieu fasse régner entre vous

Yvain aux pieds de son épouse, enluminure extraite du manuscrit *Yvain ou le Chevalier au lion*, XIVe siècle, BNF, Paris.

- Décris la posture d'Yvain. Qu'est-il en train de faire ?
- Montre que le lion et le personnage qui se tient près d'Yvain sont des adjuvants.

la paix et l'amour, et cela pour toujours ! Dame, pardonnez-lui et oubliez votre colère, car il n'a d'autre dame que vous. C'est monseigneur Yvain votre époux.

110 La dame sursauta à ces mots.

– Que Dieu me protège ! Tu m'as bien prise au piège de tes paroles ! Tu prétends me faire aimer contre mon gré un homme qui n'a ni amour ni respect pour moi ? Le beau service que tu me rends ! J'aime mieux, ma vie durant, supporter orages et 115 tempêtes !... Mais se parjurer[1] est un acte ignoble et méprisable. Ma colère et ma rancune ont longtemps couvé en moi comme un feu brûlant, le souvenir de sa faute... mais il faut l'oublier maintenant, puisque j'ai juré de me réconcilier avec lui !

Monseigneur Yvain comprit à ces paroles que l'espoir lui était 120 permis.

– Dame, on doit avoir pitié du pécheur, quand il reconnaît sa faute ! C'était pure folie de m'attarder loin de vous, et de manquer à ma parole. J'ai payé très cher mon aveuglement, et ce n'était que justice. Il me faut aujourd'hui une grande audace 125 pour reparaître devant vos yeux, mais si vous voulez bien me garder auprès de vous, jamais plus je ne commettrai la moindre faute à votre égard.

– Oui, j'y consens, car je serais parjure si je ne faisais pas tout pour me réconcilier avec vous. Puisque c'est votre désir, je vous 130 l'accorde.

– Ah, ma dame, soyez mille fois remerciée ! Par Dieu, nul homme au monde ne peut être aussi heureux que moi, après avoir été aussi malheureux par amour.

1. **Se parjurer** : ne pas respecter son serment, sa promesse.

Voici monseigneur Yvain pardonné. Après mille tourments, 135 il avait retrouvé le bonheur. Sa dame l'aimait et le chérissait, et il le lui rendait bien. Quant à Lunette, elle était très heureuse : n'avait-elle pas réussi à réconcilier pour toujours monseigneur Yvain, le parfait amant, avec sa dame, la parfaite amie ?

Et moi, Chrétien de Troyes, je termine ici mon roman, *Le Chevalier au lion*. 140 Il n'y a plus rien à dire sur monseigneur Yvain et la Dame de la Fontaine. Celui qui ajouterait quelque chose à l'histoire ferait un mensonge !

Anne-Marie Cadot-Colin d'après Chrétien de Troyes,
Yvain, le Chevalier au lion.

LECTURE ACTIVE 7

→ Voir aussi
étape 7, p. 156.

Chapitre 13 • Le dénouement

As-tu bien lu ?

1 Comment le récit se termine-t-il ?
- ☐ Yvain tombe amoureux de Lunette.
- ☐ Laudine pardonne à Yvain mais lui demande de quitter son château.
- ☐ Yvain et Laudine se réconcilient et se chérissent à nouveau.

2 Numérote les étiquettes dans l'ordre du récit.

... Laudine prend peur.
... Yvain déclenche une terrible tempête.
... Yvain redevient l'ami de Laudine.
... Laudine jure qu'elle aidera le chevalier à se réconcilier avec sa dame.
... Lunette fait venir Yvain au château.
... Lunette propose à Laudine d'appeler le Chevalier au lion.

Atelier

Réaliser une affiche de cinéma

▸ ***Objectif.*** Concevoir une affiche pour une adaptation cinématographique d'*Yvain, le Chevalier au lion*.

▸ ***Préparation.*** Par groupes de trois, sélectionner les éléments de l'histoire que l'on souhaite faire figurer sur l'image (personnages, scène particulière). Se demander quels thèmes on désire mettre en valeur (amour courtois, combats héroïques, univers merveilleux...).

▸ ***Réalisation.*** Sur une feuille blanche au format A3 ou raisin, crayonner les éléments choisis en soignant la composition de l'image (arrière-plan, second plan, premier plan). Écrire le titre de l'œuvre et le nom de l'auteur dont s'inspire le film ; inventer des noms pour le réalisateur, le producteur et les principaux acteurs.

▸ ***Réfléchir ensemble.*** Quelle affiche la classe trouve-t-elle la plus convaincante ? Pour quelles raisons ?

DÉFI LECTURE

Connais-tu l'univers d'*Yvain, le Chevalier au lion* ?

Les personnages du roman

1 Qui suis-je ?

• Je suis le fidèle compagnon d'Yvain :

....

• Je suis le neveu du roi Arthur :

....

• J'aide Yvain à reconquérir sa dame :

....

• Par ma faute, trente jeunes filles sont envoyées chaque année au château de Pesme Aventure :

....

Les épreuves du héros

2 Retrace le parcours d'Yvain en numérotant dans l'ordre chronologique les péripéties suivantes.

[...] folie

[...] mariage

[...] retrouvailles avec Laudine

[...] rencontre du lion

[...] combat contre Harpin de la montagne

[...] victoire contre les netuns au château de Pesme Aventure

[...] combat contre le comte Alier

[...] duel contre Gauvain

[...] combat contre le gardien de la fontaine

L'armement du chevalier au XIIe siècle

3 Complète le schéma ci-dessous à l'aide des termes suivants :

écu | lance | heaume | haubert | épée | baudrier

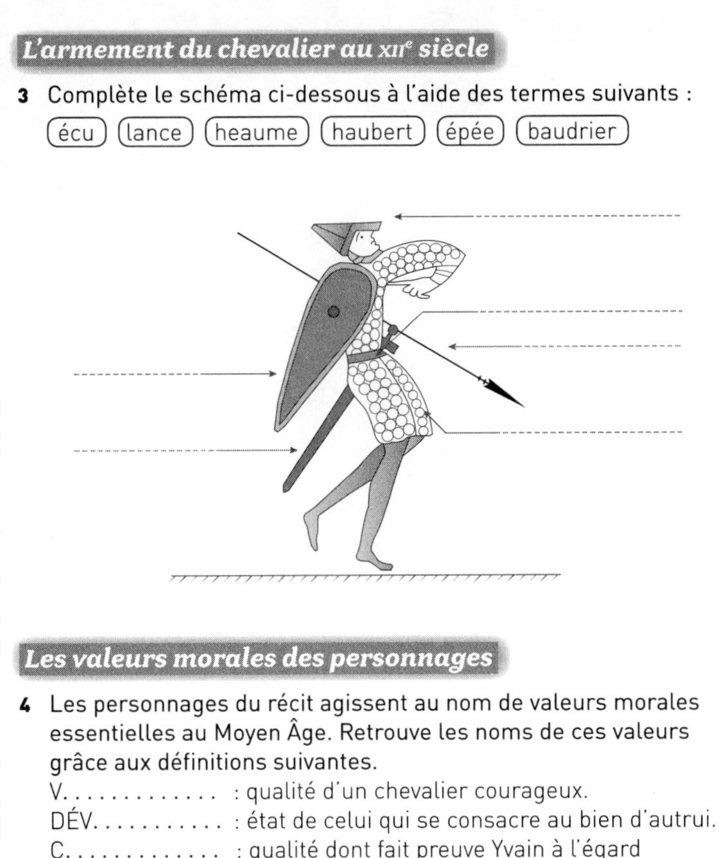

Les valeurs morales des personnages

4 Les personnages du récit agissent au nom de valeurs morales essentielles au Moyen Âge. Retrouve les noms de ces valeurs grâce aux définitions suivantes.

V. . . . . : qualité d'un chevalier courageux.

DÉV. . . . . : état de celui qui se consacre au bien d'autrui.

C. . . . . : qualité dont fait preuve Yvain à l'égard des dames.

P. . . . . : exploit accompli par un preux chevalier.

L. . . . . : qualité du lion qui montre fidélité et respect envers Yvain.

S. . . . . : attitude du chevalier qui se soumet aux volontés de sa dame.

Combat de chevaliers (art roman). Linteau de la cathédrale d'Angoulême.

Yvain, le Chevalier au lion

Roman de chevalerie, roman courtois

REPÈRES

PARCOURS DE L'ŒUVRE

TEXTES ET IMAGES

Quelle littérature trouve-t-on au Moyen Âge ?

Après l'an 1000, de nouveaux genres d'œuvres littéraires apparaissent. Cette créativité est liée à l'émergence de langues nouvelles à travers l'Europe. En France, le latin donne naissance au français.

• DU LATIN AU FRANÇAIS

Les Romains, lors de leurs conquêtes, imposent leur langue, le latin, dans toutes les régions de l'Empire. Mais cette langue va être déformée par les populations locales et par les peuples dits « barbares » lors d'invasions successives après la chute de l'Empire. Apparaissent alors les langues romanes qui ont donné par la suite le français, l'espagnol, l'italien, le portugais, le catalan et le roumain.

La création officielle d'une langue

Le serment de Strasbourg, signé le 14 février 842, marque l'alliance entre deux des petits-fils de Charlemagne, Charles le Chauve et Louis le Germanique. C'est l'un des premiers textes écrit en langue romane et non en latin.

• LA NAISSANCE DE LA LITTÉRATURE

Écrits en vers et en latin, les récits consacrés aux héros de l'Antiquité, tels qu'Alexandre ou Énée, sont très appréciés au Moyen Âge. Mais, au XIe siècle, apparaît le premier grand livre de la littérature française : une chanson de geste intitulée *La Chanson de Roland*. Elle raconte la mort de Roland, le neveu de Charlemagne, au retour d'une campagne victorieuse en Espagne.

Les chansons de geste sont des textes qui vantent les exploits d'un héros historique. Elles sont parfois racontées en musique mais pas nécessairement.

Il faut cependant attendre le XIIe siècle pour voir apparaître des récits de fiction en français.

● LES AUTEURS

Que veut dire « écrivain » ?

Au Moyen Âge, le mot « écrivain » ne désigne pas l'auteur d'un livre mais le copiste ou le secrétaire à qui on dicte le récit.

Les auteurs sont appelés troubadours dans le sud de la France et trouvères dans le nord. Ils vont de cour en cour ou sont au service d'un personnage important, le mécène. Ils peuvent être d'origines sociales très différentes ; certains étaient même de grands seigneurs, tels Guillaume X, dauphin d'Auvergne, ou Raimbaud d'Orange.

Ce nom signifierait « trouveur », c'est-à-dire « celui qui trouve les histoires ».

Parmi les auteurs, les clercs forment une catégorie à part. Ils parlent et écrivent le latin, et vont jouer un rôle très important dans le passage à l'écrit de la langue française. Bien qu'ils soient hommes d'Église, leurs œuvres ne se limitent pas aux sujets religieux.

● COPISTES ET MANUSCRITS

L'imprimerie n'ayant pas encore été inventée, la seule possibilité de reproduction des textes est de les copier à la main. Faire un manuscrit (du latin *manu scriptus,* « écrit à la main ») est un travail long et fastidieux, compliqué par le matériel utilisé : le parchemin et la plume d'oie. Les copistes ne sont cependant pas de simples exécutants. Parfois ils interviennent sur l'histoire elle-même. Lorsqu'ils reproduisent un manuscrit auquel il manque un passage ou qui manque de cohérence, ils ajoutent des vers de leur invention : c'est ce que l'on appelle une interpolation.

● LES ENLUMINURES

Les textes sont souvent enrichis de couleurs. Les copistes colorient et décorent la première lettre des chapitres pour faciliter la lecture et embellir le livre. À ces lettres décorées sont parfois ajoutées des petites peintures fines qui se mêlent ou non aux lettres et illustrent certaines scènes du récit : ce sont les enluminures.

Frère Pierre de Pavie, moine copiste au travail, lettrine « M ». Enluminure extraite d'un manuscrite du XIVe siècle.

Qu'est-ce qu'un roman au Moyen Âge ?

Le roman, genre littéraire majeur depuis le XIXe siècle, apparaît au Moyen Âge. Mais si le roman moderne doit beaucoup aux récits médiévaux, les textes de Chrétien de Troyes et de ses contemporains possèdent des caractéristiques propres.

• DES RÉCITS EN LANGUE ROMANE

Au Moyen Âge le terme *roman* ne désigne pas un genre littéraire comme aujourd'hui, mais un texte écrit en *langue romane*, c'est-à-dire en langue populaire.
Les premiers romans s'inspirent d'histoires de l'Antiquité. Ce sont de très longs récits en vers que les clercs* rédigent à partir de textes latins qu'ils ont traduits. Mais les auteurs ne vont pas tarder à s'inspirer du monde qui les entoure ou d'histoires locales.

• LA MATIÈRE DE BRETAGNE

En 1155, Wace, un auteur britannique, adapte en langue romane l'*Histoire des rois de Bretagne*, rédigée en latin par Geoffroy de Monmouth et retraçant l'histoire légendaire des rois d'Angleterre. Wace, contrairement à ses prédécesseurs, ne met plus en scène les grands héros de l'Antiquité comme Alexandre mais la vie et les conquêtes du roi Arthur et Merlin. Mêlant l'histoire et la fiction, il enrichit ses récits grâce aux légendes galloises et irlandaises appartenant à la tradition orale, la « matière de Bretagne ».

• LE ROMAN DE CHEVALERIE

Le chevalier occupant une place importante dans la société médiévale, il n'est pas surprenant que les auteurs s'inspirent de ces personnages pour narrer des récits d'aventures. Dans ces récits, le chevalier est souvent un héros solitaire et errant qui croise sur son chemin des aventures toutes plus étonnantes les unes que les autres.

Certaines, réalistes, décrivent des combats ; d'autres, plus extraordinaires, font apparaître des merveilles : géants, monstres, enchanteurs...

Chrétien de Troyes et la matière de Bretagne

Chrétien de Troyes est le premier auteur à situer ses romans à la cour du roi Arthur et à construire ses récits comme nos romans modernes. Il centre son action sur un héros de fiction et invente un monde propre à l'histoire racontée. À une époque où la France influençait l'Europe dans le domaine des lettres, Il va populariser les héros de la Table ronde et les rendre immortels.

● LE ROMAN COURTOIS

La vie de cour prend de l'importance dans la société du XIIe siècle. On découvre l'art des jardins et le plaisir d'y écouter les conteurs. Les relations sociales deviennent plus raffinées et donnent naissance à la courtoisie* et à l'amour courtois. Les romans reflètent ces nouvelles mœurs.

Le chevalier, héros de ces récits, est en quête de l'amour, valeur essentielle de la courtoisie. Parallèlement aux devoirs envers le seigneur, s'instituent des devoirs envers la dame élue, à qui il doit assistance, fidélité et dévouement.

● LES CONTINUATEURS

Au Moyen Âge, le droit d'auteur n'existe pas. Les histoires appartiennent donc à tous. Ainsi, *Perceval ou le Conte du Graal*, le dernier roman de Chrétien de Troyes, connaît un tel succès que de nombreux trouvères proposent leur propre version du conte. Et comme Chrétien n'a pas achevé son roman, la tentation est grande d'en proposer une fin. Au XIIIe siècle, Robert de Boron et Gerbert de Montreuil proposent une interprétation chrétienne du *Conte du Graal*, qui va influencer jusqu'aux cinéastes du XXe siècle.

Indiana Jones et la dernière croisade, Steven Spielberg (1989)

Le célèbre archéologue Indiana Jones doit retrouver le Graal, le vase sacré qui a recueilli le sang du Christ lors de sa crucifixion. Le Moyen Âge fait alors irruption dans une histoire se déroulant pendant la Seconde Guerre mondiale...

Indiana Jones rencontre le chevalier du Graal, dans *Indiana Jones et la Dernière Croisade*, Steven Spielberg, 1989.

Étape 1 • Observer le prologue du roman

SUPPORT • Prologue, p. 14-16.

OBJECTIF • Préciser la situation de communication et identifier le sujet du roman.

L'auteur s'adresse à son public

1 Quel indice grammatical nous signale que l'auteur prend la parole ?

2 **a.** Par quelle phrase Chrétien de Troyes réclame-t-il l'attention de son auditoire et des lecteurs ?

☐ Écoutez tous mon histoire !
☐ Oyez, oyez gentes dames et nobles seigneurs !
☐ Ouvrez donc bien grand vos oreilles et vos cœurs !

b. Que nous apprend cette phrase sur la littérature à l'époque de l'auteur d'Yvain ?

Il présente son roman

3 À quelle époque Chrétien de Troyes situe-t-il son récit ? Pour répondre, complète les phrases à l'aide du texte.

- L'histoire que j'ai choisie ne se passe point . . . .
- . . . . , en effet, personne ne sait plus ce que c'est que d'aimer : l'amour est un sujet de plaisanterie.
- . . . . , le chevalier qui avait donné son cœur à une dame ne le reprenait jamais, et cet amour courtois durait toute sa vie.

4 Retrouve, dans la liste suivante, les sujets sur lesquels portent les conversations des chevaliers du roi Arthur autour de la Table ronde.

☐ combats contre de redoutables adversaires
☐ combats contre des monstres effrayants
☐ chasses au dragon
☐ histoires d'amour

5 **a.** Quelle histoire, pour sa part, Chrétien de Troyes va-t-il raconter ?
b. Quelle attente est créée lorsqu'il révèle le surnom d'Yvain ?

6 Quelle est la visée de Chrétien de Troyes en racontant cette histoire ?

La langue et le style

7 Les temps employés. Dans le prologue, l'auteur emploie une grande variété de temps selon qu'il se place au moment où il parle (temps du discours) ou à l'époque de son récit (temps du récit).
Relie chaque passage aux temps qui y sont employés.

lignes 1 à 10 •	• temps du discours : présent, passé composé, futur
lignes 11 à 22 •	• temps du récit : imparfait, plus-que-parfait
lignes 23 à 33 •	

À ton avis

8 Hypothèses de lecture. Selon toi, comment et dans quelles aventures Yvain a-t-il pu gagner le surnom de « Chevalier au lion » ?

Faire le bilan

9 Le rôle du prologue. En t'appuyant sur tes réponses aux questions précédentes, complète les phrases.
• Dans le prologue, l'auteur se présente sous le nom de . . . . et rend hommage à son mécène : . . . .
• Il annonce que son histoire se passe au temps . . . . , car à cette époque . . . . durait toute la vie. Il raconte comment les meilleurs chevaliers se retrouvaient autour de . . . . et comment l'un d'eux gagna le surnom de . . . .
• Il réclame l'attention des seigneurs et des dames car son histoire vaut la peine . . . . : elle leur apprendra beaucoup . . . .

Écrire maintenant

10 C'est toi l'auteur ! Choisis un ouvrage que tu as lu récemment et rédige un prologue à la manière de Chrétien de Troyes, comme si tu étais l'auteur du livre.
a. Annonce au lecteur le genre auquel appartient le récit. Résume son sujet et présente le personnage principal.
b. Conclus sur l'objectif de ton récit, ce qu'il apportera au lecteur.

Étape 2 • Étudier l'épisode du combat contre le chevalier gardien de la fontaine

SUPPORT • Chapitre 2, p. 27-32.

OBJECTIF • Analyser un récit de combat et observer comment il met le héros en valeur.

Un combat à mort

1 **a.** Quelle est la première arme utilisée par les deux chevaliers ?

☐ une masse d'armes ☐ une épée ☐ une lance

b. Pourquoi les deux combattants finissent-ils par se battre sans protection ?

2 Complète le tableau avec des phrases correspondant aux différentes étapes du combat.

Étape du combat	Extrait du texte
1. Aucun des deux combattants ne prend l'avantage dans un premier temps.	....
2. Le chevalier de la fontaine reçoit un coup mortel.	....
3. Il décide de mettre fin au combat.	....

3 En poursuivant son adversaire, Yvain tombe dans un piège et frôle la mort. Remets ces phrases dans l'ordre.

..... Yvain tombe à terre.

..... Un mécanisme libère une porte coulissante et aiguisée comme une lame.

..... Son cheval marche sur un trébuchet de bois.

..... La porte tranche la selle et l'arrière du cheval.

Les actions d'un héros

4 **a.** Quel est le lien de parenté entre Yvain et Calogrenant ?

b. Pourquoi Yvain entreprend-il de défier le gardien de la fontaine ?

5 « Farouchement, ils s'affrontaient, solides comme des rocs » (p. 00, l. 97-98) : quelles qualités des combattants cette expression met-elle en valeur ?

6 Après avoir porté un coup mortel à son ennemi, Yvain se lance à sa poursuite. Pour en comprendre les raisons, complète les phrases suivantes à l'aide du texte.
Les railleries de . . . . étaient encore toutes fraîches à sa mémoire, et il savait bien qu'à la . . . . on ne le croirait pas, s'il ne rapportait pas de véritables . . . . de son . . . .

La langue et le style

7 **Le vocabulaire de l'armement.** Retrouve dans ce passage les mots appartenant au vocabulaire de l'armement. Donne une définition de ces mots à l'aide des notes et de l'enquête.

8 **Une comparaison suggestive.** Explique la comparaison suivante : « leurs hauberts [...] déchirés [...] ne valaient pas plus qu'un froc de moine » (p. 31, l. 97-98). Aide-toi de la note 2 p. 31.

À ton avis

9 **Transposition à l'écran.** Relis les lignes 99 à 110. Pourrait-on facilement porter cette scène de combat à l'écran ? Quels plans pourrait-on proposer pour susciter l'intérêt du spectateur ?

Faire le bilan

10 Sous la forme d'une carte mentale, explique en quoi les personnages de cette scène sont héroïques.

Raconter maintenant

11 **Tu es l'écuyer d'Yvain.** Avant de se lancer à la poursuite du chevalier de la fontaine, Yvain te charge d'aller relater son combat à la cour du roi Arthur. Devant la classe, raconte cette scène comme si tu te trouvais face au roi et à ses chevaliers. Essaie de rendre le récit vivant en donnant des détails et en mettant Yvain en valeur.

Étape 3 • Analyser une scène caractéristique de l'amour courtois

SUPPORT • Chapitre 4, de « Lunette emmena par la main Monseigneur Yvain » (p. 50, l. 144) à « C'est ainsi que l'accord fut conclu » (p. 52, l. 198).

OBJECTIF • Étudier les rapports entre les personnages et la conception de l'amour qu'ils incarnent.

Un dialogue d'amour courtois

1 Quelle posture Yvain adopte-t-il pour s'adresser à Laudine ?

2 Quel mot utilise-t-il pour s'adresser à Laudine ?
☐ Chère amie ☐ Dame ☐ Madame

3 Pourquoi Laudine pardonne-t-elle à Yvain d'avoir tué son mari ?

4 « Mais je voudrais bien savoir d'où vient cette force [...] cette soumission » (p. 52, l. 177-180) : que déclare Yvain en réponse à cette requête de Laudine ?

5 **a.** À quoi s'engage Yvain quand Laudine lui demande de défendre sa fontaine ?
b. Quel autre type d'engagement ce serment rappelle-t-il (voir la note p. 44) ?

Trois personnages caractéristiques

6 **a.** À l'aide du texte (p. 50-51, l. 144-156), complète les phrases suivantes.
- Lunette emmena . . . . Monseigneur Yvain.
- Elle le . . . . alors par le poignet.
- . . . . donc, chevalier, et n'ayez pas peur que ma dame vous morde !

b. Que révèlent ces phrases sur le caractère de Lunette ?

7 Que répondrait Yvain si Laudine lui disait qu'elle veut le tuer (p. 51, l. 164) ? Comment interprètes-tu sa réponse ?

8 **a.** Relève la phrase de Laudine qui clôt le dialogue.
b. Semble-t-elle émue par la déclaration d'Yvain ? Comment interprètes-tu son attitude ?

La langue et le style

9 Famille de mots. Yvain déclare : « une force me pousse à me soumettre à votre volonté » (p. 51, l. 167).

a. Reformule la phrase en t'aidant de la formation du verbe « soumettre ».

b. Quel est le nom formé sur ce verbe ?

c. Trouve un verbe formé sur le même radical, avec un autre préfixe.

10 L'évolution du sens des mots. a. D'où vient l'adjectif « courtois » ? Déduis-en le sens de l'adjectif au Moyen Âge (voir aussi la note 1, p. 70).

b. Quel est le sens actuel de l'adjectif ? Dans la liste ci-dessous, coche six synonymes.

- ☐ affable ☐ aimable ☐ civil ☐ élégant ☐ grossier
- ☐ incorrect ☐ inoffensif ☐ poli ☐ raffiné

À ton avis

11 Une scène de rencontre amoureuse ? À ton avis, cette première entrevue entre Laudine et Yvain est-elle une scène de rencontre amoureuse ? Justifie ta réponse.

Faire le bilan

12 Faire une fiche d'identité. En t'appuyant sur tout ce que tu as appris sur le personnage au cours des quatre premiers chapitres, complète cette fiche d'identité d'Yvain.

Nom : Yvain
Surnom : ....
Fils de : ....
Époux de : ....
Allure : ....
Qualités principales :
• ....
• ....

Écrire maintenant

13 L'article « amour courtois ». Par groupes de deux, rédigez un article d'encyclopédie expliquant ce qu'est l'amour courtois. Vous y emploierez et définirez l'expression *fin'amor* et illustrerez votre article d'un ou deux exemples tirés de ce chapitre 4.

Étape 4 • Étudier un chapitre clé du roman : « Le lion »

SUPPORT • Chapitre 7, p. 72-78.

OBJECTIF • Déterminer la fonction des épisodes relatés, mettre en évidence leur aspect merveilleux* et leur valeur symbolique.

Une rencontre relevant du merveilleux

1 **a.** Pourquoi Yvain décide-t-il de sauver le lion et non le serpent ?
b. Pourquoi le serpent a-t-il si mauvaise réputation ?

2 Après avoir remercié Yvain de l'avoir sauvé, comment le lion se conduit-il ? Complète les phrases à l'aide du texte.
- Le lion .... à ses côtés. Il était devenu son ....
- Il ne souhaitait qu'une chose, le .... et le .... toute sa vie.

La naissance d'un nouvel Yvain

3 **a.** Pages 74-75, lignes 65 à 85 : quelle est la réaction du lion lorsqu'il pense qu'Yvain est mort ?
☐ Il essaye de le ranimer. ☐ Il se tord et rugit de désespoir.
☐ Il veut se tuer avec l'épée d'Yvain.

b. Quelle réflexion cette attitude inspire-t-elle à Yvain lorsqu'il reprend connaissance ?

4 Pourquoi Lunette est-elle enfermée dans la chapelle ?

5 **a.** Yvain doit livrer un duel judiciaire : qui doit-il affronter ?
b. Relève les expressions qui montrent que le héros est sûr de lui (p. 77-78, l. 155 à 171).

6 Yvain semble différent après sa rencontre avec Lunette. Pourquoi ?

La langue et le style

7 **Des comparaisons. a.** Dans les passages mettant en scène le lion, Chrétien de Troyes utilise trois comparaisons pour caractériser l'animal. Retrouve-les et complète le tableau.

Comparaison	Qualité mise en évidence
« comme .... »	noblesse de caractère, humanité
« comme .... »	fidélité et loyauté
« comme .... »	attachement profond pour Yvain

b. À partir des éléments fournis par ces comparaisons, explique en deux phrases pourquoi le lion est un animal de l'univers du merveilleux.

À ton avis

8 Hypothèse de lecture. Quel rôle le lion va-t-il jouer dans la suite de l'histoire ? Sur quels indices peux-tu t'appuyer pour répondre ?

Faire le bilan

9 Le registre du merveilleux. Complète le texte avec les mots suivants :

être humain | loyauté | merveilleux | péripétie | suzerain | surnom | vassal

• Le lion se comporte comme un .... qui respecte les lois de la morale féodale : cette attitude relève du registre ....

• La scène où il s'agenouille devant Yvain évoque la cérémonie au cours de laquelle un .... se mettait sous la protection d'un .... et lui prêtait serment de fidélité. Dans la suite du chapitre, il prouve à plusieurs reprises sa reconnaissance et sa .... à l'égard de son sauveur.

• La rencontre du lion constitue une .... essentielle du roman : grâce à lui, Yvain va gagner le .... qui fera sa réputation.

Enquêter maintenant

10 L'hommage vassalique. Qu'appelle-t-on « hommage vassalique » au Moyen Âge ? Fais une recherche sur Internet, illustre la définition que tu auras trouvée avec une image de l'époque.

Étape 5 • Étudier l'épisode du duel entre Yvain et Gauvain

SUPPORT • Chapitre 12, de « Ils prirent tous les deux leurs distances, puis lancèrent leurs chevaux au galop » (p. 119 l. 102, à la fin p. 126).

OBJECTIF • Analyser le récit du combat et caractériser les deux héros.

Un combat épique

1 Le combat a commencé à l'heure de « none », c'est-à-dire à quinze heures. Quand s'achève-t-il ? Que peux-tu en déduire sur la valeur des deux chevaliers ?

2 Relève les exclamations du narrateur (p. 119-120, l. 102-106) qui soulignent la dimension tragique du combat.

3 Le combat entre les deux chevaliers est d'une violence inouïe. Complète les phrases pour retrouver les coups qu'ils s'infligent.

- Les heaumes et les écus étaient déjà tout .... et ....
- Le tranchant des épées s'.............. et s'................
- Les coups pleuvaient sur les .... , les ...., les ....
- Les hauberts .... et les écus .... ne les protégeaient plus.

4 Les spectateurs sont tellement impressionnés par les combattants qu'ils essaient de :

☐ séparer les deux chevaliers. ☐ réconcilier les deux jeunes filles
☐ quitter les lieux

Une réconciliation émouvante

5 En t'aidant du texte et des mots ou expressions de la liste, rédige quatre phrases (une par mot ou expression) pour retrouver les réactions d'Yvain lorsqu'il découvre le nom de son adversaire :

(sans voix) (colère et chagrin) (épée) (pied à terre)

6 Quel est le point sur lequel les deux amis n'arrivent pas à se mettre d'accord ? Ils déclarent :
- ☐ qu'ils sont tous deux vainqueurs
- ☐ que la jeune femme dont chacun était le champion a gagné
- ☐ qu'ils sont tous deux vaincus

7 Comment Arthur met-il fin à la querelle entre les deux chevaliers ?

La langue et le style

8 **Du récit au dialogue.** Observe le dialogue entre Yvain et Gauvain à l'issue du combat.
a. Où le récit s'interrompt-il pour laisser place au dialogue ? Pourquoi ?
b. Relève deux verbes de parole. Où sont-ils placés par rapport aux paroles rapportées ?
c. Quels sont les différents signes de ponctuation présents dans ce dialogue ?
En quoi la ponctuation est-elle expressive ?

À ton avis

9 **Le dernier combat.** Ce duel est le dernier combat livré par Yvain dans le roman : est-ce son meilleur combat ? Justifie ta réponse.

Faire le bilan

10 **Deux chevaliers exceptionnels.** Cet extrait met en scène deux chevaliers exceptionnels. Complète ce schéma récapitulant leurs qualités.

Écrire maintenant

11 **Tu es journaliste.** Au Moyen Âge, tu as été envoyé par ton journal pour raconter ce combat entre deux des plus grands chevaliers de la Table ronde. Rédige l'article que tu lui enverras.
– Tu peux commencer par une rapide description des lieux du combat pour aider le lecteur du XXIe siècle à se représenter la scène.
– Tu peux t'inspirer d'articles relatant des événements sportifs pour rédiger le tien.

Étape 6 • Exploiter les informations de l'enquête

SUPPORT • L'ensemble du roman et l'enquête.

OBJECTIF • Mettre en œuvre les connaissances acquises grâce à l'enquête, repérer les éléments à valeur historique dans le roman.

Que nous apprend l'enquête ?

1 Comment s'appelle la cérémonie durant laquelle un jeune écuyer devient chevalier ?
☐ l'hommage vassalique
☐ l'adoubement
☐ le tournoi

2 Combien pèse un destrier, le cheval de combat du chevalier ?
☐ 100 kg ☐ 600 kg ☐ 1 tonne

3 Quelle est l'arme qui va révolutionner les techniques de combat ? Pourquoi ?

4 Lors des tournois, le combat peut prendre la forme :
☐ d'un duel ☐ d'une mêlée ☐ d'un jeu

5 Qu'est-ce qui entraîne la disparition définitive des chevaliers ? Pourquoi ?

Le chevalier au combat

6 Pages 69-70, lignes 181 à 193, le narrateur évoque la bataille à laquelle prend part Yvain contre le comte Alier. Retrouve la phrase précisant la forme du combat.

7 Le roman met en scène deux duels judiciaires.
a. Quel est le duel au cours duquel Yvain affronte trois adversaires ?
b. Qui affronte-t-il lorsqu'il est le champion d'une jeune fille réclamant son héritage ?

8 L'armement du chevalier est constitué d'armes défensives et d'armes offensives. Relève dans les scènes de combat du texte les différents éléments de cet armement et place-les dans le tableau suivant.

Scènes de combat	Armes offensives	Armes défensives
p. 30-31, l. 89-109		
p. 69-70, l. 181-217		
p. 85-86, l. 152-173		

9 Le pillage, source de revenus pour les seigneurs, est une pratique courante à l'époque.
Pourquoi Laudine redoute-t-elle que le roi Arthur pille ses terres ?

À ton avis

10 Un personnage captivant. Qu'est ce qui fait du chevalier un personnage littéraire captivant ? Développe ton point de vue en t'appuyant sur ta lecture d'Yvain et ta culture personnelle.

Faire le bilan

11 Les devoirs moraux du chevalier. Quels étaient les devoirs moraux du chevalier ? Fais-en la liste et trouve pour chacun d'entre eux un exemple tiré d'*Yvain, le Chevalier au lion*.

Devoirs moraux	Exemples tirés d'*Yvain*
Être attaché à Dieu	....
....	Combat contre un géant
Secourir les faibles	....
....	Se déclare vaincu à l'issue du combat contre Gauvain
Faire preuve de clémence	....

Écrire maintenant

12 La veille de ton adoubement. Tu es un jeune chevalier en formation. La veille de ton adoubement*, tu racontes dans ton journal intime les jours que tu viens de vivre et ton excitation à l'idée de la cérémonie du lendemain.

Étape 7 • Faire le point sur le thème de l'amour courtois dans le roman

SUPPORT • Chapitres 4, 5, 6 et 13.

OBJECTIF • Analyser le conflit entre la prouesse et l'amour dans le roman et mettre en évidence la résolution finale de ce conflit.

Le conflit entre la prouesse et l'amour

1 Yvain épouse-t-il Laudine ? À quel moment du roman le fait-il ?

2 Pourquoi Yvain quitte-t-il le château de Laudine ? Coche deux réponses parmi les quatre proposées.
- ☐ pour courir les tournois
- ☐ pour revenir raconter son aventure à la Table ronde
- ☐ parce que la fonction d'un chevalier est de combattre
- ☐ parce qu'il n'est plus amoureux

3 Que se produit-il un an après le départ d'Yvain ?

4 Relis, dans le chapitre 5, le discours de Gauvain à Yvain (p. 60-61, l. 100-119). Quelles valeurs défend-il ?

La résolution de la crise amoureuse

5 On peut distinguer quatre grandes étapes dans l'histoire d'Yvain et de Laudine. Retrouve le chapitre où chacune apparaît.
1. Yvain et Laudine s'aiment et se marient : chapitre ....
2. Yvain quitte Laudine mais fait le serment de revenir dans un an : chapitre ....
3. Yvain ne respecte pas son engagement, c'est la rupture : chapitre ....
4. Les deux amants se retrouvent unis : chapitre ....

6 **a.** Que répond Laudine lorsque Lunette lui demande de pardonner à Yvain (p. 133, l. 111-118) ?
b. À quoi fait-elle référence en lui faisant une telle réponse ?

7 Pourquoi Laudine décide-t-elle d'oublier le souvenir de la faute d'Yvain ?

8 Yvain répond à Laudine : « J'ai payé très cher mon aveuglement, et ce n'était que justice » (p. 133, l. 123-124). Que signifie cette phrase ?

9 Comment Yvain et Laudine sont-ils désignés à la fin du texte ?
- ☐ le Chevalier au lion et son épouse
- ☐ le gentilhomme et la gente dame
- ☐ le parfait amant et la parfaite amie

La langue et le style

10 Vocabulaire. Voici une liste de mots relevés à la fin du chapitre 13 :
jurer | pardon | pardonner | pêcheur | se parjurer | se réconcilier
Cherche ces mots dans un dictionnaire et classe-les selon qu'ils évoquent l'idée de serment, de faute, de conflit.

À ton avis

11 Les épreuves de l'amour courtois. Yvain ne devient digne de l'amour de sa dame qu'après avoir triomphé de nombreuses épreuves : que penses-tu de cette affirmation ?

Faire le bilan

12 Les règles de l'amour courtois. Pour retrouver les règles de l'amour courtois, complète le texte avec les mots de la liste :
combattre | dame | épreuve | félon | fidélité | pardon
parole | promesse | serment | soumission | suzerain

• Un chevalier doit avant tout . . . . à sa . . . . et lui montrer sa . . . . , par exemple en s'agenouillant devant elle pour prêter . . . . Il agit donc comme il agirait envers son . . . .

• Il doit aussi lui faire la . . . . de . . . . pour l'honneur de celle-ci et d'affronter les . . . . qu'elle jugera bon de lui imposer. Si le chevalier ne respecte pas sa . . . . , il est considéré comme . . . . Il ne lui reste plus alors qu'à implorer le . . . . de sa dame, comme Yvain le fait auprès de Laudine.

Débattre maintenant

13 Héros et héroïnes. En quoi Yvain est-il un héros ? Y a-t-il d'autres héros dans le roman ? Lunette est-elle une héroïne ? Trouvez des arguments pour répondre à ces trois questions et confrontez vos points de vue.

Héros et héroïnes, de l'Antiquité à nos jours : groupement de documents

OBJECTIF • Comparer des documents sur la notion de héros.

DOCUMENT 1 *La colère d'Achille*

Après la bataille, les Grecs se partagent le butin et parmi celui-ci la jeune et belle esclave Briséis est attribuée à Achille. Mais le roi Agamemnon, séduit par la beauté de la jeune fille, use de son pouvoir pour la lui reprendre. Achille, en colère, vient lui dire son fait.

Le bouillant Achille, lui jetant un regard courroucé[1], s'écrie :
« Homme rempli d'astuce et d'impudence[2], qui donc parmi les Grecs oserait t'obéir, ou te suivre dans une expédition, ou marcher d'après tes ordres contre l'ennemi ? Ce n'est point en haine des Troyens, habiles à lancer le 5 javelot, que je suis venu en ces lieux pour les combattre ; car ils ne sont nullement coupables envers moi. Jamais ils ne m'ont enlevé ni mes taureaux ni mes coursiers[3] ; jamais ils ne sont venus dans la populeuse et fertile Phtiotide[4] ravager mes moissons, parce qu'une mer retentissante et des montagnes ombragées d'arbres nous séparent entièrement d'eux. 10 Mais c'est pour toi, le plus effronté de tous les mortels, que nous sommes venus, et pour te combler de joie, et pour venger sur les Troyens l'injure de Ménélas[5] et la tienne, vil impudent ! Tu ne respectes point ces services, tu les méprises. Tu me menaces même de m'enlever la récompense que j'ai si laborieusement gagnée, et que les fils de la Grèce m'ont donnée 15 en partage. Jamais il ne m'arrive de recevoir un prix égal au tien, quand les Achéens[6] s'emparent d'une superbe ville troyenne. Et cependant c'est

1. **Courroucé** : plein de colère.
2. **Impudence** : insolence.
3. **Coursiers** : grands et beaux chevaux de bataille.
4. **Phtiotide** : région de Phtie, en Thessalie, où est né Achille et où l'attend sa mère.
5. **L'injure de Ménélas** : frère du roi grec Agamemnon, Ménélas est l'époux d'Hélène, réputée pour son extraordinaire beauté. C'est l'enlèvement de la jeune femme par le prince troyen Pâris qui est à l'origine de la guerre de Troie.
6. **Achéens** : autre nom des Grecs.

mon bras qui soutient tout le poids de cette guerre impétueuse. Mais, s'il se fait un partage, tu reçois toujours les plus riches dépouilles[7] ; et moi, quoique je me sois fatigué à combattre, je rejoins mes navires chargés d'un
20 modique présent. Maintenant, je pars pour la Phtiotide, je retourne dans mes foyers sur mes vaisseaux à la proue arrondie. Étant déshonoré, je ne crois pas que tu puisses désormais accroître ta puissance et tes trésors. »

HOMÈRE, *Iliade*, trad. Eugène Bareste, 1843.

7. **Dépouilles** : ce qui est pris à l'ennemi sur le champ de bataille.

DOCUMENT 2 *Le noble combat du comte Roland*

La Chanson de Roland *est un long poème anonyme de la fin du* XI*e siècle. Appelé « chanson de geste », ce type de poème raconte des exploits guerriers.* La Chanson *évoque le combat de Roland pris dans une embuscade tendue par les Sarrasins*[1]*, alors qu'il rentre d'une campagne en Espagne avec les armées de son oncle Charlemagne. L'empereur a laissé à l'arrière-garde Roland et quelques hommes qui sont confrontés à des troupes ennemies très supérieures en nombre.*

CLVI

Le comte Roland combat noblement, mais son corps est trempé de sueur et brûle ; et dans sa tête il sent un grand mal : parce qu'il a sonné son cor, sa tempe s'est rompue. Mais il veut savoir si Charles[2] viendra. Il prend l'olifant[3], sonne, mais faiblement. L'empereur s'arrête, il écoute :
5 « Seigneurs, dit-il, malheur à nous ! Roland, mon neveu, en ce jour, nous quitte. À la voix de son cor j'entends qu'il ne vivra plus guère. Qui veut le joindre, qu'il presse son cheval ! Sonnez vos clairons, tant qu'il y en a dans cette armée ! » Soixante mille clairons sonnent, et si haut que les monts retentissent et que répondent les vallées. Les païens[4] l'entendent, ils n'ont
10 garde d'en rire. L'un dit à l'autre : « Bientôt Charles sera sur nous. »

1. **Sarrasins** : envahisseurs arabes.
2. **Charles** : Charlemagne.
3. **Olifant** : cor servant à appeler du renfort.
4. **Païens** : désigne ceux qui ne sont pas chrétiens, c'est-à-dire les Sarrasins, qui sont musulmans.

CLVII

Les païens disent : « L'empereur revient. De ceux de France entendez sonner les clairons. Si Charles vient, il y aura parmi nous du dommage[5]. Si Roland survit, notre guerre recommence ; l'Espagne, notre terre, est perdue. » Quatre cents se rassemblent, portant le heaume, de ceux qui s'estiment les meilleurs en bataille. Ils livrent à Roland un assaut dur et âpre. Le comte a de quoi besogner pour sa part. »

CLVIII

Le comte Roland, quand il les voit venir, se fait plus fort, plus fier, plus ardent. Il ne leur cédera pas tant qu'il sera en vie. Il monte le cheval qu'on appelle Veillantif. Il l'éperonne bien de ses éperons d'or fin ; au plus fort de la presse[6], il va tous les assaillir. Avec lui, l'archevêque Turpin. Les païens l'un à l'autre se disent : « Ami, venez-vous en ! De ceux de France nous avons entendu les cors : Charles revient, le roi puissant. »

CLX

Les païens disent : « [...] Le comte Roland est de si fière hardiesse que nul homme fait de chair ne le vaincra jamais. Lançons contre lui nos traits[7], puis laissons-lui le champ. » Et ils lancèrent contre lui des dards et des guivres sans nombre, des épieux, des lances, des museraz[8] empennés. Ils ont brisé et troué son écu, rompu et démaillé son haubert ; mais son corps ils ne l'ont pas atteint. Pourtant, ils lui ont blessé Veillantif de trente blessures ; sous le comte ils l'ont abattu mort. Les païens s'enfuient, ils renoncent. Le comte Roland est resté, démonté[9].

La Chanson de Roland,
édition de Joseph Bédier, 1922.

5. **Dommage** : dégâts.
6. **Au plus fort de la presse** : au plus fort des combats.
7. **Traits** : projectiles (lances ou flèches).
8. **Dards, guivres, museraz** : armes de jet.
9. **Démonté** : tombé de son cheval, à terre.

DOCUMENT 3 *L'exploit du chevalier Lancelot*

Lancelot, parti au secours de la reine Guenièvre qui a été enlevée, fait halte dans une église pour prier. En sortant de l'église, il aperçoit un cimetière à travers lequel il est guidé par un moine. Il voit des tombes portant le nom de ceux qu'elles sont destinées à accueillir, notamment Yvain et Gauvain. L'une de ces tombes, plus magnifique que les autres, porte une inscription prophétique.

On lit sur elle une inscription qui prophétise[1] ainsi :
CELUI QUI LÈVERA CETTE PIERRE À LUI SEUL SERA LIBÉRATEUR DES HUMAINS PRISONNIERS DANS LA TERRE D'EXIL D'OÙ NE SORT AUCUN D'EUX NI SERF NI GENTILHOMME[2], À PARTIR DU MOMENT QU'IL Y A MIS LE PIED. AUCUN N'A JAMAIS VU LE CHEMIN DU RETOUR, CAR TOUS LES ÉTRANGERS DEMEURENT LÀ CAPTIFS. MAIS LES GENS DU PAYS LIBREMENT VONT ET VIENNENT, QU'ILS EN PASSENT OU NON LA LIMITE À LEUR GRÉ.
À l'instant le chevalier va prendre entre ses mains la pierre du tombeau, et la voici levée, sans qu'il ait eu à se donner du mal, mieux que dix hommes n'auraient fait en y mettant toute leur force. Le moine en resta bouche bée[3]. Sous l'effet que lui fit la vue de ce prodige, il s'en fallut de peu qu'il ne tombât soudain, car il ne pensait pas devenir le témoin d'un aussi grand exploit dans le cours de sa vie.
« Sire, à présent j'ai grande envie, fait-il, de savoir votre nom. Voulez-vous me le dire ?
– Je ne veux, foi de chevalier.
– J'en suis vraiment peiné. Si vous me disiez votre nom, le procédé serait des plus courtois ; peut-être en auriez-vous un grand profit. Qui êtes-vous, quel est votre pays ?
– Je suis un chevalier, vous le voyez, et je suis né au royaume de Logres[4]. Je voudrais par ces mots être quitte envers vous. Mais vous, dites-moi de nouveau, s'il vous plaît, qui dormira dans ce tombeau.
– Sire, le héros qui délivrera tous ceux qui sont pris dans la trappe au royaume d'où nul ne saurait s'échapper. »

CHRÉTIEN DE TROYES, *Le Chevalier de la charrette (Lancelot)*,

1. **Prophétise** : prédit.
2. **Serf** : au Moyen Âge, personne attachée à la terre d'un seigneur, qui n'avait pas de liberté personnelle ; **gentilhomme** : noble.
3. **Bouche bée** : la bouche grande ouverte sous l'effet de la surprise.
4. **Royaume de Logres** : royaume du roi Arthur.

DOCUMENT 4 « *Vous avez été choisi* »

Lors de l'anniversaire de ses 111 ans, Bilbo le Hobbit décide de quitter la comté. Gandalf lui demande de lui remettre l'anneau d'or afin qu'il le confie à Frodon. Neuf années plus tard, Gandalf revient voir Frodon et lui annonce que Sauron le Grand, le créateur de l'anneau, veut récupérer son bien pour obtenir un pouvoir absolu. Frodon décide de détruire l'anneau et demande conseil à Gandalf.

« Il n'y a qu'un seul moyen : trouver les Failles du Destin dans les profondeurs de l'Orodruin, la Montagne du Feu, et y jeter l'Anneau, si vous souhaitez réellement le détruire, le mettre hors de portée de l'Ennemi pour toujours. »
« Oui, je souhaite réellement le détruire ! s'écria Frodon. Ou, plutôt, le faire détruire. Je ne suis pas fait pour les quêtes dangereuses. J'aimerais ne jamais avoir posé les yeux sur l'Anneau ! Pourquoi est-il venu à moi ? Pourquoi ai-je été choisi ? »
« À de telles questions on ne saurait répondre, dit Gandalf. Soyez assuré que ce n'est pas pour un quelconque mérite que d'autres ne posséderaient pas : ni la puissance, ni la sagesse, à tout le moins. Mais vous avez été choisi : vous devez donc mettre à profit toute la force, le courage et l'intelligence dont vous disposez. »
« Mais j'ai si peu de toutes ces qualités ! Vous êtes sage et puissant. Ne voulez-vous pas prendre l'Anneau ? »
« Non ! s'écria Gandalf, se levant d'un bond. Cet objet me conférerait un pouvoir terrible, démesuré. Et sur moi, l'emprise de l'Anneau serait encore plus grande et plus mortelle. » Un éclair passa dans ses yeux et son visage s'illumina comme d'un feu intérieur. « Ne me tentez pas ! Car je ne souhaite ressembler au Seigneur Sombre lui-même. Pourtant, les voies de l'Anneau trouvent mon cœur par la pitié, la pitié pour les faibles, et par le désir de pouvoir faire le bien. Ne me tentez pas ! Je n'ose le prendre, pas même pour le garder en sécurité, inutilisé. Le désir de le porter viendrait à bout de mes forces. J'aurai tant besoin de son pouvoir. De grands périls m'attendent. »
Allant à la fenêtre, il ouvrit les rideaux et les volets. La lumière du jour inonda de nouveau la pièce. Dehors, Sam passa le long du chemin en sifflant. « Maintenant, dit le magicien en se retournant vers Frodon,

la décision vous revient. Néanmoins, je serai toujours là pour vous aider. » Il posa sa main sur l'épaule du hobbit. « Je vous aiderai à porter ce fardeau, aussi longtemps qu'il vous appartiendra de le porter. Mais nous devons 30 agir, et sans tarder. L'Ennemi bouge. »

J. R. R. TOLKIEN, *Le Seigneur des anneaux*, tome I : ***La Fraternité de l'Anneau***, trad. Daniel Lauzon, Christian Bourgois éditeur, 2014.

DOCUMENT 5 *Star Wars* en jeu vidéo

L'image représente l'un des personnages du jeu vidéo en ligne *Star Wars, The Old Republic* (2011). Ce jeu s'inspire de l'univers des trois trilogies cinématographiques *Star Wars* réalisées par George Lucas (1977 à 1983, 1999 à 2005, 2015 à 2019). Tout comme les films, le jeu met en scène des chevaliers Jedi, chargés de défendre la République contre les Sith et leur ordre, adeptes du « côté obscur de la Force ».

Lire les documents

Document 1

1 À qui Achille parle-t-il ?

2 Pourquoi est-il en colère ?

3 Explique le sens de la phrase : « Et cependant c'est mon bras qui soutient tout le poids de cette guerre impétueuse. » (l. 16-17)

Document 2

4 Relève trois expressions qui donnent une dimension épique à la scène.

5 **a.** Combien d'ennemis Roland doit-il affronter ?
b. Comment peut-on qualifier ce combat ?

Document 3

6 Quelle épreuve Lancelot doit-il affronter dans ce passage ?

7 Quelle sera la récompense s'il réussit, quelle sera la punition s'il échoue ?

8 À ton avis, pourquoi Lancelot réussit-il à déplacer à lui seul cette lourde dalle de pierre ?

9 Que signifie la réponse du moine à la question de Lancelot ?

Document 4

10 Que devient Frodon après avoir été choisi ? À quelle cérémonie du Moyen âge pourrais-tu comparer cette scène ?

11 Puisque Frodon a été choisi, de quelles qualités devra-t-il faire preuve ? Ces qualités sont-elles caractéristiques du héros ?

Document 5

12 Qu'est-ce qui, dans la tenue du personnage, rappelle les chevaliers ?

13 Qu'est-ce qui appartient à l'univers de la science-fiction ?

Comparer les documents

14 Qu'est-ce qui, dans le document 2 (p. 159) et l'image p. II du cahier couleurs, fait apparaître l'aspect extraordinaire du combat de Roland ?

15 Quels éléments du costume des deux personnages p. I et IV du cahier couleurs pourraient être présents dans les textes 1 (p. 158) et 3 (p. 161) ?

16 Parmi ces trois images : p. 163, p. I et IV du cahier couleurs, lesquelles s'inspirent plutôt de l'Antiquité, du Moyen Âge, ou d'un mélange des deux ? Tu répondras en justifiant ta réponse par des éléments précis.

17 Complète le texte suivant à l'aide du document 3 (p. 161) et de l'image du plat 3 de couverture.

Lancelot est un chevalier hors du commun. Adoubé par .... en personne, il accomplit des exploits surhumains, comme soulever une lourde ....
De .... .Cela prouve qu'il a un destin unique. Mais il est amoureux de la reine .... et part à sa recherche lorsqu'elle est enlevée dans le roman ....

18 Coche la bonne réponse à l'aide du document 4 (p. 162) et de l'affiche du film (p. III du cahier couleurs).

	Vrai	Faux
Frodon déclare avoir toutes les qualités nécessaires pour garder l'anneau.	☐	☐
Frodon veut donner l'anneau à Gandalf.	☐	☐
Frodon est armé.	☐	☐
Frodon est à cheval.	☐	☐
Frodon semble en pleine action.	☐	☐

Écrire maintenant

19 **Imagine ton héros.** Décris ses qualités physiques et morales. Tu peux t'inspirer des aventures d'Yvain ou de celles des autres héros évoqués dans les extraits de textes ou par les images.

Les chevaliers sont sans aucun doute l'un des symboles les plus importants du Moyen Âge et leur ordre disparaît d'ailleurs en même temps que s'achève la période. Pourtant, on a souvent une image fausse ou partielle de ces guerriers d'un nouveau genre, de leur mode de vie et de leurs valeurs. Comment devient-on chevalier ? En quoi consiste la vie de chevalier ? Qu'est-ce que l'idéal chevaleresque ?

Qui sont les chevaliers ?

L'ENQUÊTE EN 5 ÉTAPES

1 Comment est née la chevalerie ?

Un chevalier, c'est – au sens premier du terme – un soldat combattant à cheval. Au Moyen Âge, les chevaliers sont de véritables spécialistes de la guerre.
Leur apparition est liée à de nouvelles façons de combattre et au besoin des seigneurs de posséder les armées les plus efficaces pour imposer leur pouvoir aux autres seigneurs.

• UN NOUVEAU MOT POUR DE NOUVEAUX COMBATTANTS

Avec l'apparition de petits territoires dirigés par des seigneurs au Xe siècle (le pouvoir central n'est pas encore structuré), apparaît la nécessité de créer des forces armées destinées à protéger ces seigneurs. On nomme les hommes constituant ces troupes « milites[1] ». Les cavaliers prenant de plus en plus d'importance dans ces armées, sous l'influence de l'héritage germanique, le terme ne s'applique bientôt plus qu'à eux seuls.
Les langues locales vont ensuite insister sur le mode de combat de ces hommes et créent le terme de « chevaliers » qui remplace le terme « milites ».
La féodalité* se renforce et consolide ainsi progressivement le groupe constitué par ces nouveaux combattants, jusqu'à en faire une classe noble.

• LA NAISSANCE DE LA FÉODALITÉ

L'essor de la chevalerie est contemporain de la « révolution féodale » qui voit, autour de l'an 1000, l'émiettement du pouvoir royal au profit des seigneurs propriétaires des principales forteresses qui se dressent sur le territoire.
Des armées de vassaux, composées de chevaliers, sont chargées de défendre ces places fortes. Au cours du XIIe siècle, alors que le pouvoir central de la monarchie se renforce, la chevalerie est déjà

1. Milites : du nom latin désignant les soldats.

structurée et « chevalier » devient un titre. Le chevalier est au service du roi ou d'un grand seigneur et reçoit en contrepartie un fief. Progressivement, la chevalerie finit par se confondre avec la noblesse.

La bataille de Gisors en 1198 entre Richard Cœur de Lion et Philippe Auguste, enluminure extraite des *Grandes Chroniques de France*, vers 1325-1350. British Library, Londres.

2 Qui peut devenir chevalier ?

La chevalerie, en se structurant au cours du temps, va imposer des conditions de plus en plus strictes à ceux qui désirent en faire partie. Dès le XIIIe siècle, l'entrée en chevalerie est soumise à la naissance.

• DES CONDITIONS FINANCIÈRES

Jusqu'au XIIe siècle, il semble que la seule condition pour devenir chevalier est financière. S'il faut évidemment posséder des capacités physiques importantes, c'est surtout le coût de l'équipement et le temps nécessaire pour livrer les combats et être au service d'un suzerain qui priment.

Au XIIe siècle, l'équipement complet d'un chevalier correspond au revenu d'un domaine de 150 hectares : il coûte entre 250 et 300 sous. C'est également le prix d'une trentaine de bœufs. Au XIIIe siècle, ce montant est multiplié par quatre ou cinq : une fortune !

Sarcophage d'un chevalier (détail), vers 1292, bas-relief, calcaire. Musée des Augustins, Toulouse.

• NOBLESSE ET CHEVALERIE

Les rapports entre noblesse et chevalerie sont variables selon les pays et les époques. Jusqu'au XIe siècle, il n'est pas nécessaire d'être noble pour être chevalier et il existe même des « chevaliers paysans ». Mais pour être au service et à disposition d'un grand seigneur, il est plus commode d'être autonome financièrement. Progressivement, seuls les nobles appartenant à des familles aisées peuvent entrer dans cet ordre.

Au XIIIe siècle, des textes juridiques apparaissent dans certaines régions qui interdisent l'entrée en chevalerie aux non-nobles. Cette évolution se confirmera dans tout le royaume au cours des siècles suivants.

Le choix du cheval

Le cheval, indispensable au chevalier, fait à partir du XIe siècle, l'objet d'une sélection attentive. Il doit pouvoir porter le chevalier et toutes ses armes : plus de 120 kg. Il pèse lui-même plus de 600 kg et coûte de 40 à 200 sous, la valeur de 4 à 20 bœufs !

• LA FORMATION

Le futur chevalier est placé dès l'âge de sept ans chez un seigneur où il débute comme serviteur avant de devenir écuyer, c'est-à-dire, l'aide le plus proche du chevalier. Vers l'âge de 17 à 21 ans, l'adoubement fait de lui un chevalier.

Le galopin

« Galopin[1] » est le premier stade dans la formation du jeune garçon qui se destine à devenir chevalier. Il nettoie les écuries. Ce terme désignera par la suite les petits serviteurs chargés des commissions.

1. Galopin : le sens moderne de « garnement » n'apparaît

Lors de cette cérémonie, il devient officiellement chevalier et prête serment à son suzerain. Les festivités, extrêmement coûteuses, sont aussi un frein à l'entrée des jeunes gens de familles modestes dans l'ordre de la chevalerie.
Le chevalier doit respecter un code moral qui sera fixé progressivement par écrit avec l'aide des troubadours*. Ces commandements lui imposent de respecter la religion, de protéger tous les faibles et de prendre leur défense, de s'acquitter de ses devoirs féodaux, de ne pas mentir et de respecter sa parole, d'être le champion du droit et du bien contre l'injustice et le mal.

Scène d'adoubement. Extrait de *La Quête du Saint Graal*, XVe siècle.

3 Quel est l'équipement des chevaliers ?

L'armement des chevaliers évolue avec les siècles. Aux innovations dans le domaine des armes offensives (l'épée, la lance) répondent des innovations dans celui des armes défensives (l'armure, le bouclier). Mais c'est l'armure, pièce la plus caractéristique de cet armement, qui connaît la plus grande transformation.

• ATTAQUE ET DÉFENSE

Le chevalier dispose d'armes variées pour attaquer son adversaire : la hache, la masse d'arme, la lance et surtout l'épée, qui devient l'un des symboles du chevalier. Pour sa défense, il utilise un bouclier et de multiples pièces de protection qui forment son armure.

• L'ARMURE

L'armure rend la silhouette du chevalier caractéristique. Elle lui permet avant tout de se défendre contre les attaques de ses ennemis. Elle se complexifie considérablement avec le temps. Jusqu'au XIe siècle, elle est principalement constituée d'une cotte de mailles, formée d'anneaux de fer entrelacés, portée sur une tunique de cuir. Mais l'efficacité des armes progressant, le chevalier doit améliorer sa protection. Apparaît alors le haubert, longue cotte de maille descendant à mi-cuisse et pesant 12 à 15 kg. Il protège également la tête et les épaules. On y ajoute progressivement des chausses de maille (sortes de bas), des manches et des gants de la même matière.

À partir de 1350, d'abord par parties, puis de façon de plus en plus importante, c'est l'armure de plates qui s'impose. Elle est constituée de plaques de métal très résistantes mais forme un ensemble très lourd. C'est cette armure qui reste dans l'imaginaire collectif lorsque l'on évoque la chevalerie et pourtant elle n'apparaît qu'au XVe siècle.

L'inséparable épée

Le chevalier est attaché à son épée comme à une amie et lui donne même parfois un nom, comme Durandal, l'épée de Roland, ou Excalibur, celle du roi Arthur. Mais de par sa forme rappelant la croix, l'épée est aussi le symbole de sa foi chrétienne ; le chevalier se fait souvent enterrer avec son arme. C'est enfin un objet de valeur dont le pommeau est souvent incrusté de matières précieuses et qui réclame 200 heures de travail pour sa fabrication, plus que pour un haubert*.

Le heaume*, au début casque sphéro-conique pourvu d'une protection nasale, va progressivement recouvrir tout le visage. Quant au bouclier, il est en bois recouvert de cuir. Long et pointu vers le bas au début, il se réduit à mesure que l'armure se renforce et disparaît au XVe siècle avec le « harnois blanc », l'armure intégrale en métal.

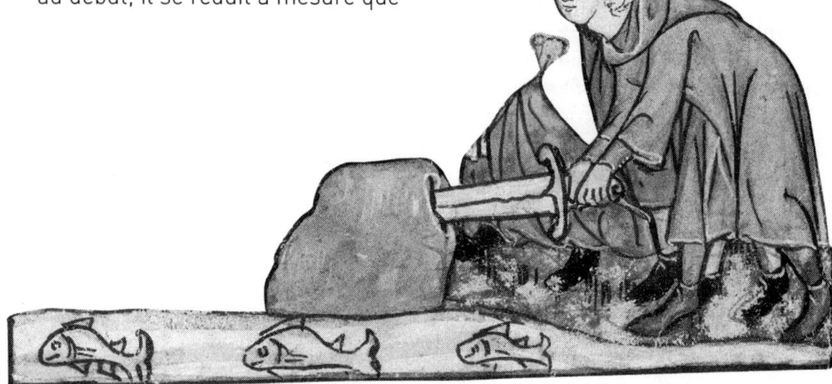

Galahad parvient à retirer une épée d'une pierre flottante, sur laquelle il est inscrit en lettres d'or « Seul le meilleur chevalier du monde pourra ôter cette épée de cette pierre ». Extrait de *La Quête du Saint Graal,* de Robert de Boron, XIVe siècle. The British Library, Londres.

● UNE ARME RÉVOLUTIONNAIRE : LA LANCE

À l'origine, les chevaliers utilisent une lance courte et leur manière de combattre n'est pas très différente de celle des fantassins[1]. Ils jettent cette lance sur l'ennemi ou le frappent comme avec une épée ou une masse d'arme. Au XIe siècle, les Normands, de redoutables guerriers, envahissent l'Angleterre. Ils utilisent de très longues lances qu'ils tiennent à l'horizontale, et bloquent sous le bras. Cette méthode, d'une efficacité redoutable, est imitée, dès le XIIe siècle, par tous les chevaliers d'Occident et même par les Sarrasins. Cela a deux conséquences : les armures doivent se renforcer pour résister aux chocs devenus très violents et les chevaliers deviennent des combattants à part, possédant une technique qui leur est propre.

Combien pèse une armure ?

On a longtemps colporté l'image de chevaliers encombrés par leur armure au point de rester couchés sur le dos comme des tortues lorsqu'ils tombaient de cheval. Au XIe siècle, les armures pèsent environ 15 à 18 kg et 25 à 30 kg à la fin du Moyen Âge. Si ce poids représente une charge importante, l'armure n'empêche nullement un chevalier très bien entraîné de continuer à se battre à pied. Seules les armures de tournoi, très renforcées afin d'éviter les blessures, ne permettent pas d'autres formes de combat que la joute à cheval. En effet, elles peuvent peser de 50 à 80 kg !

1. Fantassins : combattants à pied.

L'attaque des chevaliers normands (détail). *Tapisserie de Bayeux*, dite broderie de la reine Mathilde, 1077. Bibliothèque de Bayeux (Calvados).

Une arme difficile à manier

La lance mesure 2,5 mètres au XIe siècle et 3,5 mètres au cours du XIIe siècle, pèsant alors de 15 à 18 kg ! Il fallait donc s'entraîner de longues heures pour pouvoir utiliser ces armes difficiles à manier qui réclamaient une grande force.

4 En quoi consiste la vie d'un chevalier ?

Du champ de bataille aux tournois, le chevalier est parfois dans la nécessité de trouver des richesses.

• LES REVENUS DES CHEVALIERS

Les revenus des chevaliers dépendent de leur rang. Ceux des grands seigneurs proviennent de leurs terres. Mais les chevaliers plus modestes s'enrichissent principalement grâce au pillage en temps de guerre. C'est une pratique commune et admise. Les tournois sont également un apport non négligeable puisque les vainqueurs conservent les armes et les montures des vaincus. Enfin, les seigneurs les plus importants obtiennent des rançons considérables de l'entourage des chevaliers qu'ils font prisonniers durant les batailles.

• LA CHASSE

La chasse est un des passe-temps favoris des seigneurs au Moyen Âge et un privilège. Les « vilains[1] » n'étaient pas autorisés à chasser et le braconnage était sévèrement puni. Les modes de chasse sont variés : la chasse à courre, la chasse à l'arc ou au javelot, ou encore la chasse à l'aide d'oiseaux de proie, tel le faucon.

On chassait divers types de gibiers selon les régions et les saisons, des plus petits au plus gros : les oiseaux, les lièvres mais aussi les cerfs, les sangliers, les ours et les loups.

La chasse est également considérée comme un entraînement à la guerre et un moyen de réguler les populations d'animaux sauvages pour lesquels il n'existait pas de prédateurs.

La « quintaine »

C'est l'exercice principal de l'entraînement des chevaliers. Il consiste à charger avec la lance le bouclier porté par le bras horizontal d'un mannequin fixé à un poteau. Lorsque le bouclier est frappé, le mannequin tourne sur son axe et, si le chevalier n'est pas assez habile ou pas assez rapide, il frappe l'homme dans le dos.

1. Vilains : paysans libres au Moyen Âge.

• LES TOURNOIS

Les chevaliers, pour s'entraîner à leur profession de guerrier, chassent et s'adonnent à des exercices spécifiques. Mais les tournois proposent sans doute la configuration la plus proche de la guerre. On en a souvent une vision déformée par le cinéma. La joute proposée par les films, montrant deux chevaliers séparés par une barrière et s'élançant l'un vers l'autre, n'apparaît qu'au XVe siècle.

Le tournoi prend le plus souvent la forme de la « mêlée », c'est-à-dire, comme sur un champ de bataille, l'affrontement de deux groupes : « ceux du dedans » et « ceux du dehors ». Les premiers constituent l'équipe du château qui organise les festivités. Le but est de désarçonner son adversaire ou de le faire prisonnier. Les blessures sont courantes mais la mort est accidentelle.

Toutefois, le duel existe sous sa forme judiciaire : deux chevaliers peuvent s'opposer pour régler un différend[2] qui les oppose ou qui oppose deux personnes dont ils seront les champions : c'est le « jugement de Dieu ».

Tournoi de chevaliers, extrait du *Roman du Chevalier Tristan*, du Maître de Charles du Maine, XVe siècle. Musée Condé, Chantilly.

2. Différend : désaccord,

5 L'idéal chevaleresque et la postérité des chevaliers

Les chevaliers sont progressivement auréolés d'un tel prestige qu'ils deviennent les symboles d'une société : un modèle de piété, de courage et même une inspiration pour les écrivains.

● LE RÔLE DE L'ÉGLISE ET L'IDÉAL CHEVALERESQUE

Dans une société où le pouvoir religieux s'impose progressivement, l'Église entreprend de moraliser l'ordre des chevaliers : à partir du XIe siècle, elle interdit de combattre pendant certaines périodes[1], elle donne un caractère religieux à la cérémonie de l'adoubement... Le chevalier devient un modèle pour les chrétiens : il prie régulièrement et ne passe jamais devant une église sans s'y arrêter. C'est ainsi que se forme l'idéal chevaleresque : le chevalier se doit d'être preux, c'est-à-dire courageux lorsqu'il combat, et fidèle envers son seigneur ou son roi. À partir du XIIe siècle, sa prouesse est mise au service de l'amour : c'est la courtoisie*.

● LES CHEVALIERS, HÉROS LITTÉRAIRES

Les chevaliers deviennent progressivement des personnages centraux dans la littérature : dans les chansons de geste, puis dans

L'exemple d'Yvain

Yvain, devenu le Chevalier au lion, incarne l'idéal chevaleresque à son plus haut degré de perfection. Se détournant de la prouesse teintée de vanité et d'égoïsme dont il fait preuve au début du roman, il sauve Lunette du bûcher, défend des femmes en détresse, comme la dame de Noroison, la demoiselle de Noire-Épine ou les captives du château de Pesme Aventure. Il illustre ainsi une conception christianisée de la chevalerie, qui trouve sa raison d'être dans la défense des faibles et des opprimés, au sein d'une société violente.

1. C'est ce que l'on appelle la trêve de Dieu.

les romans comme ceux de Chrétien de Troyes. À travers eux, les auteurs peuvent glorifier les nouveaux idéaux d'une civilisation pacifiée : les règles de loyauté et l'amour courtois. Les romans de chevalerie continuent à connaître du succès même bien après la fin du Moyen Âge et au XIXe siècle, des auteurs comme Walter Scott créent certains des personnages de chevaliers les plus célèbres, tel Ivanhoé.

• LA DISPARITION DES CHEVALIERS

C'est l'apparition des armes à feu portables qui sonne le glas de l'armure et donc de la chevalerie à la Renaissance. L'arquebuse, ancêtre du fusil, envoie des projectiles avec une telle puissance qu'aucune armure ne peut les arrêter. Certes, les nobles continuent à porter des plastrons[2] métalliques jusqu'au XVIIe siècle sur les champs de bataille, mais une armure complète est devenue encombrante et inutile.

D'Yvain à Batman

Si les chevaliers véritables ont disparu, ils continuent d'exister, de nos jours, dans la littérature, la bande dessinée ou le cinéma, sous de nouvelles apparences : on peut citer, par exemple, les chevaliers Jedi de la saga *Star Wars (La Guerre des étoiles)* ou Batman dans *The Dark Knight (Le Chevalier noir)*, de Christopher Nolan (2008). Tous ces chevaliers, sous leurs armures technologiques, continuent d'incarner la tradition des héros justiciers.

Les chevaliers Jedi, dans *Star Wars, épisode 3 : La Revanche des Siths*. Film de George Lucas, 2005.

2. Plastron : partie de la cuirasse

Petit lexique littéraire

Adoubement	Cérémonie au cours de laquelle le jeune noble est fait chevalier, reçoit ses armes et son équipement.
Amour courtois	Lien amoureux au travers duquel le seigneur jure fidélité et protection à sa dame.
Chanson de geste	Texte qui vante les exploits de héros historiques.
Clerc	Homme d'Église et écrivain.
Continuateur	Écrivain qui achève le roman d'un autre ou qui crée une suite.
Copiste	Le plus souvent un moine chargé de recopier les livres à la main.
Courtoisie	Ensemble des valeurs morales reflétées par le comportement et les actes (sens de l'honneur, importance du serment et de la foi donnée, noblesse des sentiments, courage, générosité, politesse du langage et des manières). La courtoisie représente un idéal à l'époque de Chrétien de Troyes.
Duel judiciaire	Combat dans lequel s'affrontent deux chevaliers pour un problème de justice.
Écu	Bouclier du chevalier.
Énée	Prince troyen, fils d'Anchise et de la déesse de l'amour Vénus, ancêtre de Romulus et Rémus et donc, du peuple romain. On le voit combattre dans l'*Iliade* d'Homère (VIIIe siècle av. J.-C.), mais surtout, il est le héros de l'*Énéide*, épopée écrite entre 29 et 19 av. J.-C. par le poète latin Virgile. Brutus serait le descendant d'Énée et l'ancêtre du peuple breton.
Enluminure	Décoration peinte à la main pour décorer une page de livre.
Estoc	Pointe de l'épée (*frapper d'estoc* : frapper avec la pointe de l'épée ; *frapper de taille* : frapper avec le tranchant de l'épée).
Féodalité	Système social qui lie le vassal à son suzerain.

Félon	Personne déloyale qui agit contre la foi due à son seigneur.
Fief	Domaine accordé par le suzerain à son vassal.
Haubert	Longue cotte de mailles.
Heaume	Casque du chevalier.
Idéal chevaleresque	Le chevalier doit faire preuve de courage et de piété.
Matière de Bretagne	Ensemble des légendes dont s'inspirent les écrivains qui narrent les exploits des chevaliers de la Table ronde.
Mêlée	Tournoi durant lequel les chevaliers s'affrontent par équipe.
Roman	Langue populaire issue du latin. Œuvre écrite en cette langue.
Romanes (langues)	Langues issues du latin.
Suzerain	Grand seigneur qui a des vassaux sous son autorité.
Trouvère/ Troubadour	Poète et conteur, parfois itinérant.
Vassal	Seigneur qui jure fidélité à un seigneur plus important.
Vulgaire	Du peuple, populaire.
Wace	Clerc normand du XIIe siècle, auteur du *Roman de Brut* (1155). C'est la plus ancienne chronique en langue romane sur les rois de Bretagne : composée de près de quinze mille octosyllabes (vers de huit syllabes), elle retrace l'histoire des rois bretons depuis Brutus jusqu'à Arthur. Chrétien de Troyes s'est inspiré de cette œuvre pour écrire ses romans.

À lire et à voir

• ROMANS LES PLUS CÉLÈBRES DU MOYEN ÂGE

Chrétien de Troyes
Lancelot ou le chevalier de la charrette

Écrit à la demande de Marie de Champagne, ce roman raconte les épreuves subies par le chevalier Lancelot pour sauver la reine Guenièvre, l'épouse du roi Arthur, qui a été enlevée par le traître Méléagant.

Chrétien de Troyes
Le Conte du Graal

Le plus célèbre des romans de Chrétien de Troyes. Perceval, jeune homme naïf élevé par sa mère, va se retrouver face à la plus grande énigme du Moyen Âge : le Graal.

Marie de France
Les Lais

Un recueil de récits variés. On y trouvera, entre autres, *Le Lai du Bisclavret*, une histoire de loup-garou...

Le Roman de Renart
Hatier, Classiques & Cie Collège, 2010

Un des plus grand succès de la littérature médiévale. Son héros, le rusé Renart.

ROMANS DE JEUNESSE SUR LE MOYEN ÂGE

Michel Tournier
La Couleuvrine
GALLIMARD JEUNESSE, FOLIO JUNIOR, 1999

L'histoire se déroule dans la citadelle de Cléricourt, assiégée par les troupes anglaises durant la guerre de Cent Ans. Le jeune Lucio, petit garçon insupportable, devient un héros.

Jean-Cômes Nogues
Le Faucon déniché
POCKET JEUNESSE, 2003

Au Moyen Âge, seuls les seigneurs avaient le droit de posséder un faucon destiné à la chasse. Martin, enfant de paysan du Languedoc, se retrouve en prison pour avoir osé en posséder un.

Viviane Moore
Le Seigneur sans visage
FLAMMARION, CASTOR POCHE, 2006

Le jeune Michel de Gallardon fait son apprentissage de chevalier au château de la Roche-Guyon, dont le seigneur, atteint de la lèpre, vit reclus. Une série de meurtres survient et Michel décide de percer le secret du seigneur sans visage, sur lequel se portent les soupçons...

Christian de Montella
Graal, tome I : Le Chevalier sans nom
FLAMMARION, 2011

Né d'un roi mort de chagrin et de la fée Viviane, le héros est élevé en parfait chevalier. Selon la prédiction de l'enchanteur Merlin, il part en quête du Graal. Nombre d'épreuves l'attendent, dont l'amour ne sera pas la moindre...

• UN CLASSIQUE DE LA LITTÉRATURE BRITANNIQUE

Tolkien
Bilbo le Hobbit
LE LIVRE DE POCHE

Le Hobbit Bilbo(n) est emmené par le magicien Gandalf et treize nains dans la quête du trésor gardé par le dragon Smaug, dans la Montagne solitaire. Ce récit nous plonge dans l'univers du romancier britannique Tolkien (1892-1973), univers merveilleux qui s'inspire d'anciennes légendes et mythes nordiques et germaniques, de contes de fées et de l'univers médiéval.

Publié en 1937 à Londres (parution française en 1969), ce récit a été adapté au cinéma en 2010 avec succès, tout comme la fameuse trilogie qui en est la suite, *Le Seigneur des anneaux*, entre 2012 et 2014 par le réalisateur néo-zélandais Peter Jackson.

• FILMS SUR LE MOYEN ÂGE

Tristan et Yseult
Film de Kevin Reynolds, 2006

Une transposition cinématographique de l'histoire du plus célèbre couple du Moyen Âge.

Kingdom of Heaven
Film de Ridley Scott, 2004

Un film épique sur les croisades avec, toutefois, quelques idées reçues sur la période et les événements. Parfois discutable d'un point de vue historique.

Ladyhawke, la femme de la nuit
Film de Richard Donner, 1984

Une légende filmée traitant d'un amour impossible. Une histoire très médiévale.

Excalibur
Film de John Boorman, 1980

Ce film, devenu un classique, est inspiré du roman médiéval *La Mort du roi Arthur.* Historiquement erronée (notamment en ce qui concerne les armures), une histoire magnifiquement filmée.

Monthy Python, Sacré Graal (Monthy Python and the Holy Grail)
Film de Terry Jones et Terry Gilliam, 1975

La troupe de comédiens comiques anglais Les « Monthy Pythons » propose une vision comique et satirique de la légende du Graal. Pour les amateurs d'humour absurde.

• SITES SUR LE MOYEN ÂGE

membres.lycos.fr/preuxchevaliers/

Un site assez complet et illustré de nombreuses images. En partie dédié aux enfants et donc très accessible.

pagesperso-orange.fr/collège.saintebarbe/moyenage/chevalie.htm

Un site pour les collégiens. Complet en ce qui concerne la formation des chevaliers.

Classiques & Cie Collège en 5e : « Héros, héroïnes et héroïsme »

70. Homère - L'Iliade

Alors que les Grecs assiègent la ville de Troie depuis plus de dix ans, Achille se met en colère contre Agamemnon, qui lui a ravi l'esclave qu'il avait gagnée au combat. Quelles seront les conséquences de sa colère sur cette guerre interminable ?

29. Homère - L'Odyssée

À l'issue de la guerre de Troie, Ulysse erre pendant dix ans sur les rivages de la Méditerranée, avant de parvenir à regagner son royaume d'Ithaque.

23. CHRÉTIEN DE TROYES - Yvain ou le Chevalier au lion

Ses prouesses permettront-elles à Yvain, aidé du lion, de regagner l'amour de Laudine, sa dame ? Le très beau roman de Chrétien de Troyes dans une adaptation d'Anne-Marie Cadot-Colin.

51. CHRÉTIEN DE TROYES - Perceval ou le Conte du Graal

Élevé à l'écart du monde, Perceval décide un beau jour de printemps de devenir un chevalier. Mais bientôt l'énigme du Graal le projette – au-delà de ses aventures chevaleresques –, dans la quête d'un ordre supérieur...

Table des illustrations

Iconographie : Hatier Illustration
Principe de maquette : Marie-Astrid Bailly-Maître & Sterenn Heudiard
Suivi éditorial : Luce Camus
Illustrations intérieures : Cécile Chicault
Mise en page : CGI – **Cahier couleurs :** Clarisse Mourain

Achevé d'imprimer par Black Print CPI Iberica S.L.U - Espagne
Dépôt légal 04498-2/01 - mars 2018